D1696150

Hirntote und Vollpfosten
1. Auflage, erschienen 2-2023

Umschlaggestaltung: Romeon Verlag
Text: Corinna Diederichs
Layout: Romeon Verlag
Illustrationen: Corinna Diederichs

ISBN: 978-3-96229-659-9

www.romeon-verlag.de
Copyright © Romeon Verlag, Jüchen

Das Werk ist einschließlich aller seiner Teile urheberrechtlich geschützt. Jede Verwertung und Vervielfältigung des Werkes ist ohne Zustimmung des Verlages unzulässig und strafbar. Alle Rechte, auch die des auszugsweisen Nachdrucks und der Übersetzung, sind dem Verlag vorbehalten. Ohne ausdrückliche schriftliche Genehmigung des Verlages darf das Werk, auch nicht Teile daraus, weder reproduziert, übertragen noch kopiert werden. Zuwiderhandlung verpflichtet zu Schadenersatz.
Alle im Buch enthaltenen Angaben, Ergebnisse usw. wurden vom Autor nach bestem Gewissen erstellt. Sie erfolgen ohne jegliche Verpflichtung oder Garantie des Verlages. Er übernimmt deshalb keinerlei Verantwortung und Haftung für etwa vorhandene Unrichtigkeiten.

Bibliografische Information der Deutschen Nationalbibliothek:
Die Deutsche Nationalbibliothek verzeichnet diese Publikation in der Deutschen Nationalbibliografie; detaillierte bibliografische Daten sind im Internet über *https://portal.dnb.de/opac.htm* abrufbar.

Corinna Diederichs

HIRNTOTE & VOLLPFOSTEN

Hass und Wut in unserer Gesellschaft

Inhalt

Anderssein und Hass 9
Wegbereiter und Hass 17
Verstand versus Gefühl 23
Das Gegenteil von Hass ist Liebe 29
Die innere Haltung und die Motivation unseres Handelns 43
*Ethische Stabilität oder wie gelange ich
zu einer positiven Haltung* 53
Das ethische Geländer 65
Wer, wenn nicht jeder Einzelne von uns? 77

Literaturhinweise und Quellen 89
Über die Autorin 91

Wer aufhört an sich zu arbeiten,

wird viele Geschenke des Lebens

nicht erhalten.

Corinna Diederichs

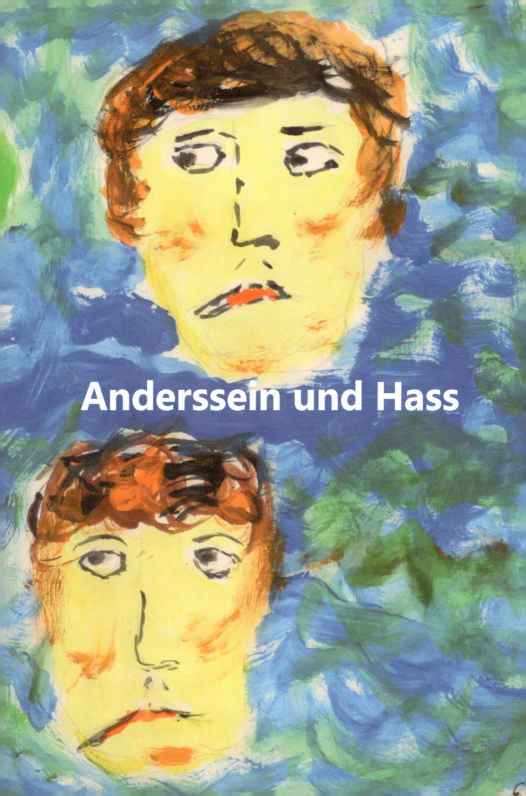

Es war Montag. Pia warf Aktentasche samt Handtasche lustlos ins Auto, fuhr wie jeden Tag mit leicht überhöhter Geschwindigkeit ins Büro und sehnte sich während der Fahrt nach dem Wochenende, das für sie das wahre Leben darstellte. Am Wochenende hatte sie die Fäden in der Hand. Sie konnte diese zwei Tage frei nach ihren Vorstellungen gestalten, ihren Ideen und Phantasien freien Lauf lassen und dann … genießen.

Ein solches Wochenende lag gerade hinter ihr und schon vermisste sie es wieder. ›Büro ist Arbeit, Wochenende ist Leben‹, dachte sie, als sie die Tiefgarage erreichte. Während sie aus dem Auto stieg, kam ihr Frau Schneider entgegen. ›Wie ich die Zicke hasse‹, schoss es ihr durch den Kopf. Frau Schneider war ihre Teamkollegin, mittleren Alters, etwas pedantisch und immer perfekt gekleidet. Ihre Gesichtszüge vermittelten eine gewisse Schwere, als ob sie eine große Bürde trüge. Das Tragen von Verantwortung stand ihr ins Gesicht geschrieben. Vermutlich trug sie schwerer an ihrer Verantwortung als es nötig gewesen wäre. Pia grüßte sie knapp und erinnerte sich, dass Frau Schneider ihre Konzepte häufig überarbeitete und korrigierte, bevor sie das firmeninterne Netzwerk verließen und an die Kunden gingen. Zwar besprach Frau Schneider die Korrekturen mit ihr, aber besserwisserisch und kleinkariert empfand sie es trotzdem.

Frau Schneider übte nie Kritik an Pia. Ihre Überarbeitungen und Korrekturen verliehen dem ideenreichen Konzept oft den letzten Schliff. Ihr Wunsch war, dass das Team im Unternehmen und bei den Kunden »einen guten Stand« hatte, wie sie immer betonte. Pia konnte diesen Satz nicht mehr hören. Sie fühlte sich eingebremst und hatte meist keine Lust, mit Frau Schneider über die Richtigkeit von A oder B in die Diskussion zu gehen. Die Schneider ging ihr nicht nur gehörig auf die Nerven, nein, sie hasste ihre Pingeligkeit, die Art wie sie sich kleidete, wie sie sprach – einfach die ganze Person.

Wie entsteht ein Hassgefühl? Warum hassen wir und warum geben wir dem Gefühl so viel Raum? Aktuell wird viel gehasst. Man könnte glauben, es sei eine aus der Dunkelheit getretene Modeerscheinung, die immer mehr ans Licht drängt. Wenn man nur eine Plattform findet, auf der es sich vortrefflich hassen lässt, nur zu. Twitter und Co. laden herzlich dazu ein. Dabei scheint man sich darin zu gefallen, den vorherigen ›post‹ oder ›tweet‹ in phantasievoller Blumigkeit noch zu übertreffen. Als gälte es, in einer Art Wettbewerb die Anerkennung der versammelten Hassgemeinde für eine besonders ausdrucksvolle Hassrede zu erlangen. Auch analoge Plattformen eignen sich zum hasserfüllten Auftritt. Demonstrationen als Mittel der Willensäußerung in einer demokratischen Gesellschaft werden dieser Funktion beraubt und zu hasserfüllten Kundgebungen, denen es meist an intellektuell bearbeiteten Inhalten mangelt und denen es auch nicht um eine friedliche Lösung des jeweiligen Themas geht. Eine hasserfüllte Sprache öffnet leicht die Tür zur Gewalt. Hassrede im Internet und Gewalt auf Demonstrationen – beide Formen bleiben Ausdrucksmittel des Gefühls von Hass gegenüber dem als anders Empfundenen – anders, als man selbst in Gedanken und Vorstellungen unterwegs ist.

Andersdenkende, Andersglaubende, anders sexuell orientierte Menschen, Menschen, die sich ganz allgemein anderen

Gruppen zugehörig fühlen als man selbst, andere politische Orientierungen oder nur andere allgemeine Überzeugungen, anders Gekleidete oder anders aussehende Menschen werden gehasst – weil sie irgendwie anders sind als wir selbst oder eine andere Orientierung haben als wir selbst. Man könnte diese Aufzählung mit dem Wort »Anders« als wesentliches Merkmal der Wurzel von Hass beliebig lang fortsetzen. Carolin Emcke hat in Ihrem Buch »Gegen den Hass«[1], die vielfältigen Situationen des Hasses und die Ursachen ihrer Entstehung eindrucksvoll beschrieben.

Kommen wir zurück zu Pia und Frau Schneider. Beide arbeiten in demselben Unternehmen, beide haben vermutlich bei der Lösung von Aufgabenstellungen unterschiedliche Herangehensweisen. Pia ist vermutlich die Kreative und Frau Schneider die Perfekte. Beide Herangehensweisen zusammen genommen würden sich ideal ergänzen. Trotzdem hasst Pia Frau Schneider. Sie ist anders als Pia und Pia sieht sich als Zentrum ihrer Selbst auf der richtigen, auf der einzig akzeptablen Seite.

Wenn wir davon ausgehen, dass das Anderssein als Initialzündung eine wesentliche Rolle für sich entwickelnden Hass spielt, müssen wir uns fragen, wie bei aller evolutionären Entwicklung und Vielfalt der Natur, zu der die Spezies Mensch ja auch zu rechnen ist, wie bei allen historischen, politischen und soziokulturellen Entwicklungen auf dem Erdball der Mensch langfristig überleben konnte. Wir waren und sind ständig mit Anderssein, mit Vielfalt konfrontiert.

---

1 Carolin Emcke, Gegen den Hass, Fischer Verlag, Frankfurt a.M. 2018

Gegenseitiges Hassen und Töten hätte das Überleben unmöglich machen müssen.

Das Anderssein stellte sich aber als Bereicherung heraus. Vielfalt wurde zum reichen Füllhorn, aus dem man schöpfen konnte; man konnte voneinander lernen und tat es auch. Immer, wenn der Mensch sich lernend das Anderssein des Anderen zur Bereicherung seines Wissens zunutze machte, wurden diese neuen Erkenntnisse zur Grundlage für die kollektive Weiterentwicklung der Menschheit im Generellen.

Wie kann das Anderssein, das eine Bereicherung darstellen kann, nun die Ursache von Hass sein? Die Wahrnehmung des »Anderssseins« einer Person, wertfrei durch Verstandesleistung und durch kognitive Prozesse, erfolgt nicht getrennt von unserer Gefühlswelt. Unterschiedliche Prägungen während unserer persönlichen Entwicklung und durchlebte Erfahrungen führen dazu, dass wir das Wahrgenommene entsprechend filtern und sortieren. Unsere Gefühlswelt lässt sich bei dieser Filter- und Sortierarbeit nicht ausblenden und hat einen entscheidenden Einfluss auf unsere Bewertung des Anderssseins unseres Gegenübers – positiv wie negativ. Manchmal erleben wir, dass uns neue Bekanntschaften an jemanden erinnern, den wir kennen. Wir erleben, dass wir der neuen Bekanntschaft plötzlich Attribute zuschreiben, die die Person hat, an die sie uns erinnert. Oft sind wir enttäuscht oder auch positiv überrascht, wenn dies dann doch nicht zutrifft. Unsere Wahrnehmung des Anderssseins einer Person trifft auf das Geflecht unserer kognitiven Erfahrung mit unserer Gefühlswelt. Beides befindet sich im ständigen Entwicklungsprozess. Je nachdem welche Prägungen kognitiver und emotionaler Art bei uns bezüglich wiedererkennbarer Muster bei der anderen Person vorliegen, fällt unsere Bewertung der Person aus. Somit kann das Anderssein einer Person oder einer Gruppe durchaus als Bereicherung wahrgenommen werden, wenn unser Geflecht aus kognitiver Wahrnehmung und Gefühlswelt positiv aufgeladen ist. Ist es negativ aufgeladen, kann es zur Ursache von Hass werden.[2]

---

2 Carolin Emcke, Gegen den Hass, Fischer Verlag, Frankfurt a.M., 2018

Wegbereiter und Hass

»Hass ist ein Gefühl von Feindschaft, Widerstreben, Ablehnung, Gefühlseinstellung negativer Art mit Tiefe und Zentralität«, lesen wir bei Aurel Kolnai[3]. Weiter sagt er: »... dem eine Intention oder Tendenz der Vernichtung gegenüber dem Gehassten innewohnt. Hass lässt sich dabei als verfestigte Haltung beschreiben, die in dieser Hinsicht von anderen, eher episodisch auftretenden negativen Gefühlen wie Zorn und Ekel abzugrenzen ist. Häufig gehen Hass Erfahrungen der Missachtung und der Ohnmacht voraus«. Hass zielt nach seiner Meinung nicht auf Konfliktlösung ab, sondern gefällt sich in der Verfestigung der Ablehnung des Gehassten, bzw. der Zerstörung dessen. Hass ist demnach ein Gefühl, das nach Entladung schreit, sei es verbal oder durch körperliche Gewalt.

Dabei wirkt die Hassrede als verbal manifestierter Hass oftmals als Brandbeschleuniger für Gewalt. Carolin Emcke fordert in ihrem Buch »Gegen den Hass«, »den Hass nicht erst ab dem Moment zu betrachten, wo er sich blindwütig entlädt«, um frühzeitig Handlungsoptionen gegen aufkeimenden Hass sicherzustellen. Bewusste Nichtwahrnehmung oder Übersehen von Personen im Alltag, die wir als irgendwie anders ausmachen, sind oftmals die Wegbereiter von Hass. Der Mann mit der Kippa und die Frau mit dem Kopftuch, denen das Recht auf eine eigene Persönlichkeit verweigert wird und die damit zu ›dem Juden‹ und ›der Türkin‹ werden, anstatt zu der Dame mit dem Kopftuch oder dem Herrn mit der Kippa. Die Seniorin mit der Gehhilfe, die in der Schlange an der Lebensmitteltheke übersehen wird, erfährt die Aberkennung,

---

3   Aurel Kolnai, Ekel, Hochmut, Haß. Zur Phänomenologie feindlicher Gefühle, Suhrkamp Verlag, Frankfurt a.M. 2007, S.100-133

ein dazugehöriges Mitglied unserer aktiven Gesellschaft zu sein und wird in die Ecke zum übersehbaren Gut gerückt.

Aber auch das Registrieren von Menschen in unserem Alltag, die anders sind als wir selbst, kann mit der Brille des Ressentiments erfolgen und somit zum Wegbereiter von Hass werden. Der Mann im Anzug, der zum gehassten Vertreter von ›denen da oben‹ wird, die Frau, die einfach zu gut aussieht, um es tolerieren zu können, das Kind, das in der Schule die ›falsche Marke‹ trägt und deshalb verachtet wird und nicht mehr dazugehört, der Senior, dem man seinen bescheidenen Wohlstand missgönnt – die Aufzählung könnte beliebig fortgesetzt werden.

Auch die vorgeschobene Sorge um etwas kann zum Wegbereiter von vermeintlich salonfähigen Hassgefühlen werden. Gewaltsame Ausschreitungen werden legitimiert mit der Sorge um den Staat, um die Freiheit, um die eigene Ethnie, um die Moral etc. »Als käme unreflektierten Gefühlen eine ganz eigene Legitimität zu. Als müssten Gefühle nicht nur empfunden, sondern auch unbedingt ungehemmt in der Öffentlichkeit ausgestellt und geäußert werden. Als würde jedes Abwägen und Nachdenken, jede Form der Skepsis den eigenen Gefühlen oder Überzeugungen gegenüber die Befriedigung der eigenen Bedürfnisse auf inakzeptable Weise einschränken.«[4]

Hilft es uns, die Wegbereiter zu erkennen und so das Zerstörerische von Hass zu eliminieren? Ja und Nein. Es ist unumstritten wichtig, die schleichenden Anfänge aufkeimenden

---

4 Carolin Emcke, Gegen den Hass, Fischer Verlag, Frankfurt a.M. 2018, S. 38

Hasses zu erkennen und auch zu benennen. Wenn das Gefühl beginnt, sich in aggressiver Sprache seinen Weg zu bahnen, ist der Schritt zur Tat nicht mehr weit. Schon der sprachlichen Entgleisung muss Einhalt geboten werden. In einer demokratischen, pluralistischen Gesellschaft muss es eine Offenheit geben, die andere Meinung und auch den Unwillen äußern zu können – aber respektvoll und mit einer positiven Grundhaltung dem Anderen gegenüber. Sicher bedarf es dafür einiger Regeln, die allgemein akzeptiert sein müssen und nicht nur widerwillig angewandt werden, weil sonst Strafe droht. Strafe mag ein Mittel sein, aber es fasst das Problem nur selten bei der Wurzel.

Verstand versus Gefühl

Stellen wir uns ein erfolgreiches Arbeitsteam in einem Unternehmen vor. Plötzlich scheint es nicht mehr zu funktionieren. Die Gruppe kann die geforderte Arbeitsleistung nicht mehr erbringen, obwohl alle organisatorischen und technischen Voraussetzungen vorhanden sind. Es wurde nichts verändert. Auch die Umgebungsstrukturen wurden beibehalten. Wie kann das sein?

Meist liegen die Ursachen für eine solche Veränderung auf der zwischenmenschlichen, auf der emotionalen Ebene. Verdeckte Verletzungen, unausgesprochene Konflikte oder Ohnmachtsgefühle führen zu Reibereien und beherrschen die Arbeitsabläufe der agierenden Personen. Die Reizthemen werden aus persönlicher Verletztheit, Scham oder dem Egoismus, der Gewinner sein zu wollen, in die Unaussprechlichkeit verbannt und auf die Sachebene transferiert. Es kommt zu Scheingefechten um Organisatorisches, technische Voraussetzungen etc. – eigentlich Themen, die nicht die wahre Ursache aufdecken. Erst wenn die wahre Ursache, der zwischenmenschliche Konflikt, gefunden, aufgedeckt, benannt und ausgeräumt ist, wird das Team wieder funktionieren.

Das oben genannte Beispiel beschreibt die Macht der Gefühlswelt und sagt uns, dass der Konflikt auf der Gefühlsebene gelöst werden muss, also dort, wo er begonnen hat. Diese Art von Konflikten begegnet uns in der Welt- und Wirtschaftspolitik, in Unternehmen und im alltäglichen Miteinander. Lassen Sie mich einige Beispiele geben, in denen Gefühle uns ihre Macht und ihr Potenzial demonstrieren.

Bei der Analyse der Krim-Annexion wurde häufig angeführt, dass der damalige amerikanische Präsident Barack Obama (44. Präsident der Vereinigten Staaten 2009–2017) die Aggression provoziert habe, indem er Russland verbal zu einer ›Regionalmacht‹ degradiert habe[5] und dies bei Wladimir Putin (Präsident der Russischen Föderation seit 2000) Spuren und folgenreiche Reaktionen auslöste. Kundenbeziehungen in Unternehmen können durch eine unbedachte Äußerung über die Ehefrau des Geschäftsführers oder vermeintliche Schwächen desselben zerbrechen, weil die persönliche Kränkung nicht zu überwinden ist. Partnerschaften können auseinandergehen, weil gegenseitige Verletzungen und Ohnmachtsgefühle das erträgliche Maß überschritten haben.

Bei hasserfüllten Menschen an den Verstand zu appellieren und sie aufzufordern, keine Hassparolen zu brüllen, dürfte deshalb – wenn überhaupt – nur begrenzte Wirkung zeigen. Ihnen bei Androhung von Strafe Hassparolen und hasserfüllte, mit Gewalt begleitete Auftritte zu untersagen, führt sie in den Untergrund und der Fluss des Hasses und der Wut bahnt sich an anderer Stelle seinen Weg.

Anwar al-Sadat (Ägyptischer Staatspräsident von 1970–1981)[6], der zunächst 1976 den Muslimbruderschaften einen größeren Freiraum einräumte und ihr Zentralorgan ad-Da'wa wieder zuließ, sah sich nach dem Friedensprozess mit Israel, stark aufkeimender Kritik durch die Muslimbruderschaften und anderer islamischer Vereinigungen ausgesetzt. Seine

---
5 Zeit online,11. März 2016, Sasan Abdi-Herrle
6 Jehan Sadat, Ich bin eine Frau aus Ägypten, Heyne Verlag, München 1996, S. 26

Reaktion war, Politik wieder stärker von Religion zu trennen. Nach Abschluss des Camp-David Abkommens 1979 reiste er durch sein Land und kritisierte bei seinen Auftritten die Reaktionen der Muslimbrüder und anderer islamischer Vereinigungen auf seine Friedensbemühungen. Wut und Hass ließen sich dennoch nicht eindämmen und so änderte Sadat 1981 einen Artikel im ägyptischen Strafgesetzbuch. Geistliche, die sich in Ausübung ihres Amtes oder bei einer öffentlichen Versammlung über die Regierung, ein Gesetz, Dekret oder Handlungen der öffentlichen Verwaltung ausfallend äußerten, konnten nun mit einer Haftstrafe belegt werden. Die Unruhen ließen sich nicht eindämmen und so wurden Muslimbrüder und andere Oppositionelle verhaftet. Die Folge war eine Entladung des Hasses und die Ermordung Sadats, der doch eigentlich den Frieden wollte.

Können wir Hass eindämmen? Ein Spruch besagt, dass Ideale wie Sterne sind. Man kann ihnen folgen, aber man wird sie nie erreichen.

Dennoch haben Ideale ihre Berechtigung, weil sie uns erinnern, unser Zusammenleben immer ein stückweit besser werden zu lassen. So ist es auch mit dem Hass; man wird ihn nie ganz eindämmen können, aber man kann daran arbeiten.

Menschen, die dem Gefühl von Hass in ihrem Leben viel Raum geben, können keine glücklichen Menschen sein. Dennoch geben oder lassen sie diesem Gefühl viel Raum, als seien sie Gefangene ihres eigenen Tuns. Versuchen wir hier anzusetzen.

Wenn wir nach dem Gegenteil von Hass suchen, kommen wir an dem Begriff der Liebe nicht vorbei. Sokrates dachte, dass unser Glück in der Erlangung von Weisheit bestünde und dass Liebe letztlich ein Streben nach Glück sei – wie alles andere Streben und Verlangen beim Menschen.[7] Einen anderen Menschen zu lieben, hülfe uns dabei, weise zu werden. Denn andere Menschen, in die wir uns verlieben, meinte Sokrates, erinnern uns an die Ideen, die in uns schlummern, die wir vergessen haben.[8]

Wenn Liebe ein Streben nach Glück ist und wir davon ausgehen, dass hassende Menschen nicht glücklich sind, fehlt ihnen das Streben nach Glück. Es fehlt ihnen die Liebe.

Das Verständnis von Liebe in unserer Gesellschaft war und ist mannigfaltig und auch einem stetigen Wandel unterworfen. Liebe kann aus verschiedenen Perspektiven betrachtet werden. So kann sie altruistisch aufopfernd, Besitz beanspruchend, einengend, sexuell, hormonell, göttlich, religiös sowie ideell und großherzig daher kommen. Liebe ist wie Hass ein starkes Gefühl und kann in einer eher egoistisch gelebten Form, einengend, unterdrückend und wenig liebevoll erscheinen. Liebe kann als Fixierung auf ihren geliebten Gegenstand zu innerlicher Versklavung führen. Lassen wir diese Betrachtungsweisen jedoch hier außer Acht.

Ich möchte mich auf die liebende, bejahende Grundhaltung zum Leben konzentrieren, die aus tiefer, innerer Überzeugung

---

[7] Nora Kreft, Was ist Liebe, Sokrates? Die großen Philosophen über das schönste aller Gefühle, Piper-Verlag 2019

[8] Platon; Symposion / Das Gastmahl : Die Hauptwerke; Ad Fontes Klassikerverlag Feb 2018

entsteht und die sich in verschiedenen Verhaltensweisen äußern kann. Kennen wir nicht alle einen Menschen, von dem wir sagen: Er ruht in sich, er strahlt inneren Frieden aus, er sieht immer glücklich aus, egal, was ihm zustößt?

Als 2016 in Mittelitalien die Erde bebte und die Menschen rund um das Epizentrum alles verloren hatten, waren viele Stadtzentren gesperrt. Die, die mit dem Schrecken der Beben davon gekommen waren, konnten nicht in ihre Häuser zurückkehren. Sie waren nicht mehr bewohnbar und drohten einzustürzen. Ihre gesamte Habe war für die Menschen unerreichbar geworden. Sie begannen ein Leben vor der Stadt oder da, wo es ihnen möglich erschien. Die Apotheke wurde in einem kleinen Bus vor der Stadt eröffnet, sodass die Bewohner ihre notwendigen Medikamente kaufen konnten. Die Menschen winkten, lachten und riefen mir zu: ›Im nächsten Jahr musst Du kommen, dann haben wir es geschafft. Es wird alles besser‹. Ich war beeindruckt von dem positiven Geist, von der Fröhlichkeit und den lachenden Gesichtern. Menschen, die alles verloren hatten, sah ich scherzend bei der Improvisation von städtischem Leben. Wir erinnern uns in der Zeit des Lockdowns in Italien im Frühjahr 2020 an Bilder, die um die Welt gingen. Singende Menschen auf Balkonen, die viel Leid gesehen hatten, machten sich gegenseitig Mut und rührten damit Menschen in Deutschland. Auch in Deutschland haben wir applaudierende Menschen auf Balkonen gesehen, die dem Krankenhauspersonal und den Ärzten für ihre Arbeit, bei der sie ihre eigene Gesundheit aufs Spiel setzten, danken wollten.

Es gibt viele Beispiele für einen – nennen wir ihn liebevollen, unverkrampften, respektvollen Umgang miteinander, mit der Natur, mit Nahrungsmitteln und auch mit anderen Dingen des täglichen Lebens. Glück ausstrahlende innere Fröhlichkeit, echtes Interesse am Anderen, Vorurteilsfreiheit, Abwesenheit von Neid- und Hassgefühlen sind Indizien für das Vorhandensein einer positiven, von Liebe geprägten Grundhaltung zum Leben. Erinnern wir uns: ›Somit kann das Anderssein einer Person oder einer Gruppe durchaus als Bereicherung wahrgenommen werden, wenn unser Geflecht aus kognitiver Wahrnehmung und Gefühlswelt positiv aufgeladen ist. Ist es negativ aufgeladen, kann es zur Ursache von Hass werden‹. Doch wie gelangen wir zu dieser positiven Aufladung unseres kognitiven Geflechts und unserer Gefühlswelt?

Unser Rucksack des Lebens ist gefüllt mit Erfahrungen aus verschiedensten uns umgebenden Erfahrungswelten unserer Kindheit, unserer Zeit als Heranwachsender und unserer adoleszenten Zeit. Die Entwicklungsaufgaben im Kindesalter umfassen den Aufbau von emotionalem Grundvertrauen, die Entwicklung von Intelligenz, von motorischen und sprachlichen Fähigkeiten sowie die Entwicklung grundlegender sozialer Kompetenzen. Im Kindesalter beginnen wir, selbstständig Leistung zu erbringen und unsere Sozialkontakte selbst zu gestalten. Für die Prägung unserer Persönlichkeit ist das Kindesalter also eine sehr wichtige Zeit. Im Jugendalter entwickeln sich die soziale und intellektuelle Kompetenz weiter. Die eigene Geschlechtsrolle und die Partnerfähigkeit bilden sich aus; wir entwickeln die Fähigkeit zur Nutzung des uns umgebenden Warenmarktes und ein eigenes Norm- und Wertesystem. Damit erarbeiten wir uns im Jugendalter die Grundlagen für die zukünftige Berufsrolle, die Partner- und

Familienrolle sowie die Kultur- und Konsumentenrolle und die politische Bürgerrolle. All diese Anstrengungen führen dann zu den Entwicklungsaufgaben des Erwachsenenalters, bestehend aus der ökonomischen Selbstversorgung, der Familiengründung und der Kindererziehung, der Teilnahme am Kultur- und Konsumleben und der politischen Partizipation. (Entwicklungsaufgaben in drei Lebensphasen, Hurrelmann)[9].

Während unserer Persönlichkeitsentwicklung prägen uns Beziehungen zu anderen Menschen, innere Vorstellungen und Bilder, wie wir gern sein möchten, oder gern gesehen werden möchten. Aber auch Ereignisse, wie Missgeschicke, Krankheiten, persönliches Versagen und Erfolgserlebnisse sind prägend. Genetische Dispositionen dürfen wir sicher auch nicht vernachlässigen. Somit müssen wir auch sie zu unserem Rucksackinhalt zählen. Das ist uns allen gemein. Aber wir sind dem Inhalt nicht ausgeliefert. Wir haben immer die Möglichkeit, den Inhalt dieses ›Lebensrucksacks‹ anzureichern, Unnützes wieder aus- und dafür Passenderes wieder einzupacken. Damit möchte ich sagen, dass Kinder, die von ihren Eltern geschlagen wurden und bei denen das Verhalten der Eltern einen negativen Einfluss auf die Entwicklung ihrer sozialen Kompetenzen in der Jugendzeit hatte, als Erwachsene liebevolle Eltern sein können. Wir müssen nicht das bleiben, was wir irgendwann einmal während unseres Lebens geworden sind, wenn wir der Erkenntnis dessen nur genug Raum geben.

---

9   Klaus Hurrelmann, Gudrun Quenzel, Lebensphase Jugend, Beltz Juventa, Weinheim und Basel, 2012

Peter hatte es gesellschaftlich geschafft. Als selbstständiger Zimmerer hatte er es zu einem Zimmereibetrieb mit acht Mitarbeitern gebracht. Der Betrieb lief gut und er hatte nicht nur sein Auskommen, sondern verfügte auch über einen bescheidenen Wohlstand. Er hatte ein Haus nach den Wünschen der Familie realisiert. Es bot genug Platz für das Feiern von Festen mit Freunden, die Schwimmaktivitäten seiner Frau, die Hobbies der Kinder, den Hund, die Hasen und die Meerschweinchen. Das Haus war rundum gelungen und stellte für alle ein kleines Paradies dar. Seine Kinder waren gesund und besuchten beide das Gymnasium. Die Schule bereitete ihnen keine Probleme. Nach der Geburt des zweiten Kindes hatte seine Frau ihren Beruf als Ärztin aufgegeben. Sie kümmerte sich um die Finanzen des Betriebs, Haus, Garten und die Kindererziehung. Peter hatte es nicht leicht als Unternehmer mit einem Zimmereibetrieb. Die Konkurrenz schlief nicht und so gab es einige erfolgreiche Betriebe in der Region, die ihm seine Marktposition streitig zu machen versuchten. Seine Arbeitstage waren lang. Abends war er häufig zu müde, um sein kleines Paradies und seine Familie genießen zu können. Er fühlte sich immer häufiger ausgebrannt. Das ärgerte ihn und er wurde mehr und mehr unzufrieden. Er wollte für seine Familie und auch für die Freunde der Held sein, der alles bewältigen konnte und dabei immer erfolgreich war.

Schon als Kind wollte er der Held sein und ein stückweit hatte er es ja auch geschafft. Doch durch den Herzinfarkt vor zwei Jahren war er nicht nur sportlich eingeschränkter als vorher, sondern auch weniger leistungsfähig. Das kratzte am Selbstbewusstsein, zumal Rainer, sein Nachbar, eine heldenhafte Sportskanone war. Keine Skiabfahrt war ihm zu schwarz und kein Trail zu steil für sein Mountainbike. Peter wollte weiterhin der Held sein, den er sich vorgenommen hatte zu sein. Er lehnte ein Angebot seiner Frau zur Unterstützung bei der Kundenakquise und bei Marketingaktionen wider besseren Wissens ab. Wollte er doch weiterhin der Held sein, der alles aus eigener Kraft schaffen konnte.

Peter engagierte sich ehrenamtlich im Stadtrat. Dort bewunderte und beneidete man ihn – so fühlte er sich wohl. Wenigstens dort. Wussten sie doch nicht, wie schwer es auch für ihn war, am Markt weiterhin erfolgreich zu bestehen. Konkurrenten, die mit billigen Arbeitskräften aus dem Ausland arbeiteten, unterboten immer häufiger seine Angebote bei den Ausschreibungen. Diese Betriebe verdarben die Preise und schadeten seiner Auftragslage. Im Stadtrat wurde zu dieser Zeit heiß über die Ansiedlung von Flüchtlingsunterkünften gestritten. Es gab wie immer die Befürworter, die Bedenkenträger und die Gegner sowie die, die aus solchen Stimmungslagen politisches Kapital zu schlagen versuchten.

Die Standpunkte verhärteten sich, die Worte wurden nicht nur lauter, sondern auch hässlicher. So kam es, dass einige politische Karrieristen der Gemeinde aus dem ultrarechten Lager die aufgeheizte Stimmung für ihre Zwecke zu nutzen begannen. Schnell war das notwendige Feindbild aufgebaut und die ehemals streitenden Protagonisten rückten wie durch ein Wunder wieder näher zusammen. Hatte man doch wieder ein gemeinsames Ziel für das man gemeinsam arbeiten konnte. Man musste gegen die Flüchtlingspolitik zu Felde ziehen,

Demonstrationen organisieren, Spruchbänder erstellen und andere Aufgaben verteilen.

Auch Peter war zum festen Bestandteil dieser Aktionen geworden. Er verspürte den Respekt und die Anerkennung in der Gruppe, die er in seinem unternehmerischen und familiären Umfeld nicht mehr zu finden glaubte. Für sich hatte er beschlossen, dass seine persönliche Triebfeder für die Teilnahme und Mitarbeit bei diesen politisch motivierten Aktionen die Betriebe waren, die mit billigen Arbeitskräften aus dem Ausland arbeiteten. Die inhaltliche und gedankliche Ausrichtung der Aktionen wurde nicht durch Peter oder andere eigentlich unpolitische Mitläufer bestimmt, sondern durch Vertreter rechtsradikaler Interessensgruppen, die die Destabilisierung von Demokratie als probates Mittel zur Durchsetzung ihrer politischen Interessen verfolgten. Peter und viele andere Beteiligte führten lediglich die von diesen Interessensgruppen geplanten Aktionen mit dem dazugehörigen ausdrucksstarken Wutpotenzial durch.

Peter wurde nicht glücklicher, aber er fühlte sich nicht allein. Später ging es gegen die Presse, gegen die Politik im Allgemeinen und gegen alles, was vermeintlich Schuld an einer nicht mehr näher definierten Misere war. Hauptsache ein Schuldiger wurde ausgemacht und konnte ins Zentrum der Wut gerückt werden.

Peter veränderte sich zunehmend. Irgendwann entfachten auch ganz alltägliche persönliche Wahrnehmungen sein Wutgefühl. Autofahrer, die falsch parkten, seiner Meinung nach zu schnell fuhren oder ohne zu blinken abbogen, der

Baum des Nachbarn, der über den Zaun ragte und die herbstlichen Blätter auf sein Grundstück fallen ließ, der Hund des Spaziergängers, der sein Geschäft auf seinem Rasen verrichtete oder, oder….. Im wütenden juristischen Kampf gegen alle diese Widrigkeiten sah sich Peter als einsamer Held. Er wurde nicht glücklicher, aber er wurde zum Helden.

Peter verbrachte mit diesen Dingen sehr viel mehr Zeit, als für ihn und den Betrieb gut war. Um ihn wieder erfolgsversprechend am Markt positionieren zu können, hätte er viel mehr Zeit aufwenden müssen; Kreativität und gute Ideen hätte es jetzt gebraucht. Peters Haltung jedoch war die des unglücklichen Helden. Die Umsätze sanken und der Hass in ihm wuchs. Er sah nicht mehr das, was er geleistet hatte und was ihn erfolgreich gemacht hatte. Seine Familie nervte ihn mit Vorschlägen, Wünschen und Ideen. Wusste er es doch besser. Peter wurde verhärtet, unglücklich und für seine familiäre Umgebung zunehmend schwierig. Was war schief gelaufen?

Peter schleppt in seinem Lebensrucksack seine Kindheit mit sich – wie wir alle. In diesem Fall ist es der kleine Junge, der gern ein Held sein möchte. Als Erwachsener richtet er sein Leben unter anderem danach aus. Er erlebt einen gesundheitlichen Rückschlag und leidet darunter, in seinen Augen nicht mehr der uneingeschränkte Held sein zu können. Er sucht sich ein Umfeld, in dem er glaubt, wieder den Applaus erhalten zu können, den er vermeintlich für sein persönliches Glück benötigt, gerät an die falschen Personen und erkennt es nicht. Sein Leben wird durch diese Personen verändert und durch negative Gefühle und Gefühlsausbrüche bestimmt. Er beginnt, anderen Menschen ungefragt und grantig seine Meinungen aufzudrängen und vernachlässigt Betrieb und Familie. Seine Umsatzeinbrüche nimmt er wahr, sucht aber die Ursache für diese Entwicklung nicht bei sich. Seine Familie, die ihm spiegelt, dass er ein schwieriger Besserwisser und Nörgler geworden ist, mag er nicht mehr anhören. Er selbst wird unglücklicher und hasserfüllter. Sein Geflecht aus kognitiver Wahrnehmung und Gefühlswelt hat sich negativ aufgeladen, sodass er Menschen, die sich in irgendeiner Form anders verhalten oder anderer Meinung sind als er selbst, ablehnt, ja sogar dazu neigt, diese zu hassen.

So eine oder eine ähnliche Geschichte weiß fast jeder von uns zu erzählen und vielleicht ist sie sogar manchmal in Teilen unserer eigenen nicht ganz unähnlich, wenn wir berücksichtigen, dass die Protagonisten nur Platzhalter sind und beliebig ausgetauscht werden können. Der selbstständige Zimmerer könnte ein Elektriker, ein Banker, eine Entwicklungsingenieurin, ein Modedesigner, ein Marketingspezialist, ein Verkäufer oder Geschäftsführerin eines Unternehmens sein. Peter könnte eine Frau sein und allein leben. Die Prägungen, Vorstellungen und Wünsche während der Kinderzeit können völlig anders gewesen sein. Der Stadtrat könnte gegen irgendeine andere Gruppierung wie den Sportverein, den Stammtisch, die Kegelbrüder, die Arbeitskollegen, die Musikfreunde oder die Prosecco-Mädels vom Dienstag ausgetauscht werden. Die persönliche Unzufriedenheit könnte durch berufliche Rückschläge, Geldschwierigkeiten, Partnerschaftsprobleme, Probleme mit den heranwachsenden Kindern oder gesundheitliche Schwierigkeiten hervorgerufen worden sein. Politisch extrem rechts könnte durch politisch extrem links ersetzt werden. Aber auch jede andere Gesinnung, die gar keine politischen Wurzeln haben muss, sondern religiös, lebensphilosophisch, mode- oder konsumzentriert oder ganz woanders verortet ist, kann uns den nötigen Rahmen für unser Handeln liefern. Es wird immer Menschen in unserem Umfeld geben, die uns bewusst oder auch unbewusst, für ihre Überzeugungen oder Interessen gewinnen und vielleicht auch benutzen möchten. Wenn uns diese Überzeugungen und Interessen bereichern und zu unserem Glück und zur Zufriedenheit beitragen, sollten sie uns willkommen sein. Das sollten wir aber immer einer gründlichen Prüfung unterziehen.

Wir alle erleben im Leben Rückschläge, Schicksalsschläge, Enttäuschungen, berufliche Misserfolge oder gesundheitliche Einbrüche. Die Frage ist, welche Haltung wir dazu entwickeln. Eine unreflektierte Flucht in welche Gruppe auch immer, um die Gefühlswelt wieder in Ordnung zu bringen, gleicht einem Zudröhnen mit irgendeiner Droge, die es schon richtet – jedenfalls für den Moment. Unsere innere Haltung zu den Rückschlägen, den Ärgernissen und den Enttäuschungen des Lebens hat einen wesentlichen Anteil daran, wie zufrieden wir mit unserem Leben sein werden. Erfolgreiches Streben nach Zufriedenheit und Glück steht in starker Abhängigkeit zu unserer eigenen inneren Haltung. Unsere Gefühlswelt wird im Wesentlichen durch unsere innere Haltung positiv aufgeladen. Mit einer von Liebe geprägten inneren Grundhaltung leidet unsere kognitive Wahrnehmung nicht mehr unter einer negativ aufgeladenen Gefühlswelt, sondern wird unbelasteter und offener für Anderes und Neues. Menschen mit anderen Einstellungen, anderen Lebensentwürfen, Riten oder anderen Glaubensüberzeugungen rufen keine Ablehnung in uns hervor, sondern machen uns neugierig. Unbekannte Länder,

Lebensweisen und Regierungsformen nähren den Wunsch in uns, mehr darüber zu erfahren. Wir können beginnen, uns mit Anderen auszutauschen, können so voneinander lernen und vieles weiterentwickeln, was mit Ablehnung und Hass nicht möglich gewesen wäre. Eine von Liebe geprägte Grundhaltung beeinflusst unser gesamtes Leben. Nicht nur der liebevolle, wertschätzende, respektvolle Umgang mit Anderen und mit uns selbst, auch der wertschätzende Umgang mit Natur, mit unseren Lebensmitteln oder mit anderen Dingen des täglichen Lebens wird von unserer Grundhaltung bestimmt.

Wenn unsere innere Haltung zur positiven Aufladung unserer Gefühlswelt wesentlich beiträgt und damit ebenfalls indirekten Einfluss auf unsere kognitive Wahrnehmung hat, müssen wir wissen, wie eine gute innere Haltung aussieht.

Die innere Haltung und die Motivation unseres Handelns

Wenn wir von Haltung sprechen, assoziieren wir zunächst die Körperhaltung und weiter die innere Haltung zu Ereignissen, Meinungen, Ideologien, Personen, Lebensweisen, unserem eigenen Handeln und Objekten im Allgemeinen.

Unsere Körperhaltung ist in der Tat ein Vehikel unserer Kommunikation und kann damit unserer inneren Haltung Ausdruck verleihen. Hängende Schultern und eine gebeugte Haltung sprechen eher von einer psychischen oder auch physischen negativen Belastungsempfindung als eine aufrechte Körperhaltung. Verschränkte Arme können dem Gegenüber eine Abwehrhaltung signalisieren. Offene Arme werden als Zeichen einer offenen Willkommenshaltung gewertet u.s.w.. Samy Molchow hat dies u.a. in seinem Buch »Alles über Körpersprache«[10] eindrucksvoll beschrieben.

Obwohl innere Haltung und Körperhaltung in engem Kontext miteinander zu sehen sind, wollen wir hier unser Augenmerk auf die innere Haltung legen, die so immens bestimmend für die Gestaltung unseres Lebens ist.

Clara hatte erfolgreich ihr Archäologiestudium absolviert und freute sich auf den Start ins Berufsleben. Die Angebote blieben jedoch aus oder wurden so schlecht bezahlt, dass sie nicht hätte davon leben können. So entschloss sie sich, zunächst einmal einen Aushilfsjob in einem Lebensmitteldiscounter anzunehmen und abzuwarten. Die Arbeit war nicht leicht, weil die Aufgabenstellung zunächst einmal völlig neu für sie war. Sie hatte Regale aufzufüllen, Sonderposten und Sonderangebote

---

10 Samy Molcho, Alles über Körpersprache, Sich selbst und andere besser verstehen, 2002, Goldmann Verlag

nach Anweisung aufzubauen und den Laden zu wischen – also Aushilfstätigkeiten zu erledigen.

So hatte sie sich ihren Berufsstart zwar nicht vorgestellt, aber sie wollte ihre Aufgaben sorgfältig erledigen. Die Zeit verging und nach einem Jahr hatte sie immer noch kein Jobangebot, das ihrem Berufsbild entsprach. Sie verdiente gerade ihren Lebensunterhalt und sagte sich, dass sie ihr Salär irgendwie aufstocken müsse, um sich ein bisschen mehr leisten zu können. Clara fuhr nun zusätzlich in den Abendstunden montags und mittwochs Taxi – die Prüfung dazu hatte sie erfolgreich absolviert. Dienstags und donnerstags abends lieferte sie für ein Restaurant Pizzen aus und freitags und samstags abends bediente sie an einem Kiosk. Sonntags abends war Zeit, wieder neue Bewerbungen zu schreiben. Sie bemühte sich, alle Tätigkeiten mit der gebotenen Genauigkeit zu erledigen. Ihr war bewusst, dass die Art wie sie ihre Aufgaben erledigte eine Bedeutung für andere hatte und entwickelte zu allem, was sie tat eine positive Haltung. Ja, man kann sagen, dass sie ihre Aufgaben mit Liebe erledigte. Frust kannte sie nicht; für jeden ihrer Kunden hatte sie ein Lächeln und ein nettes Wort und die wiederum hatten ein nettes Wort für sie. Man mochte sie und sie wurde zu einer unverzichtbaren Größe am Kiosk, als Pizzabote, als Aushilfe im Lebensmittelladen und als Taxiaushilfe. Abends war sie müde, aber zufrieden mit dem Geleisteten. Natürlich träumte sie noch von den großen Ausgrabungsstätten. Dort würde sie irgendwann sein, auch wenn es nicht einfach würde. Auf dem steinigen Weg dahin war sie nicht bereit, ihre Lebensfreude zu verlieren. Natürlich hätte sie völlig frustriert von den gescheiterten Bewerbungen in Hass gegen Politik und Gesellschaft verfallen können, weil sie das nicht bekam, was ihr der Ausbildung entsprechend vermeintlich zustand. Was hätte das verändert? Die Situation wäre die gleiche geblieben, nur Frust, Wut und Hass wären weiter mit Empfindungen von persönlichem Unglück angewachsen. Claras Haltung zu ihrem Schicksal hat dieses Dilemma verhindert und den Weg für neue, positive Erfahrungen mit anderen Mitmenschen frei gemacht.

Eine positive Haltung zu Lebensschicksalen, die wir ja alle erfahren, ist, wie wir sehen, ein guter Schritt zu mehr eigener Zufriedenheit. Mit einer gesunden Zufriedenheit fühlen wir uns freier, unseren Mitmenschen mit einem freundlichen und zugewandten Verhalten zu begegnen, das diese uns wiederum zurückspiegeln.

Alle unsere Lebensbereiche sind letztlich von unserer inneren Haltung bestimmt. Gehe ich respektvoll mit der Umwelt oder mit Nahrungsmitteln um? Ist es mir einfach zu anstrengend die Snackverpackung von unterwegs in eine Mülltonne zu befördern? Schnippe ich meine Zigarettenkippe aus dem Seitenfenster meines Autos achtlos in den Sommerwind? Ist mein Kühlschrank ständig so überfüllt, dass am Ende der Woche regelmäßig verdorbene Nahrungsmittel in den Müll wandern? Gehe ich achtsam mit mir selbst und den Menschen, die mich umgeben um? Fehlt mir der innere Antrieb, lasse ich mich gehen und gebe meinem Körper und meiner Kleidung nicht die ausreichende Pflege, die sie eigentlich bräuchten? Trinke und rauche ich im Übermaß? Brülle oder zetere ich herum, wenn mir etwas an meinem Gegenüber über die Hutschnur geht? Wie reagiere ich auf Aggressionen, die gegen mich gerichtet sind? Schlage ich zurück, verbal oder mit Fäusten oder versuche ich noch – wenn es eben geht – die Aggression aus der Situation zu nehmen. Wie verrichte ich Tätigkeiten, die mir eigentlich zuwider sind? Lamentiere ich unentwegt über das, was ich gerade tun muss oder versuche ich der Tätigkeit etwas Positives abzugewinnen? Diese Fragereihe lässt sich beliebig fortsetzen.

Aber was ist nun eine positive, nennen wir sie ruhig von Liebe geprägte, innere Haltung und wie kann ich feststellen, ob ich sie habe? Wie kann ich sie bekommen, wenn ich sie nicht habe?

Tatsächlich gibt es sogar ein Indiz für das Vorhandensein einer positiven inneren Haltung. Je zufriedener ich langfristig mit meinem Handeln bin, umso wahrscheinlicher ist, dass meinem Handeln eine positive Haltung zugrunde lag. Dabei spreche ich nicht von Selbstgerechtigkeit oder Selbstzufriedenheit oder kurzzeitiger Zufriedenheit, wenn ich beispielsweise meinen Gegner in die Knie gezwungen habe, um damit meinen Machthunger zu stillen. Ich spreche von einer meinem Handeln zugrundeliegenden Motivation, die einer ethischen Prüfung standhält. Wenn ich mich mit meinem Gegner militärisch auseinandersetzen muss, weil ich angegriffen werde und Friedensverhandlungen nicht mehr möglich sind, ich den Wunsch habe, langfristig den Frieden wiederherzustellen und zu sichern, liegt diesem Handeln eine Motivation zugrunde, die eine positive Haltung erkennen lässt, nämlich die, langfristig Menschenleben retten zu wollen. Die Motivation des Handelns beantwortet die Frage, ob die zugrundeliegende innere Haltung positiv war oder nicht.

Herr Wagner ist Inhaber einer Druckerei. Die wirtschaftliche Grundlage für Druckereien hat sich in den letzten zehn Jahren deutlich verschlechtert. Der Marktanteil der Printmedien ist deutlich zurückgegangen. Es wird mehr online gelesen als print. Der Anzeigenteil der Zeitungen ist stark geschrumpft. Herr Wagner selbst hat heftige finanzielle Einbrüche zu verbuchen, was er auch privat spürt. Das Auflösen von ehemals angelegten finanziellen Rücklagen war für ihn immer ein Tabu. Er ist überzeugt, dass ein finanzielles Polster wichtig sei, um unvorhersehbare Ereignisse gut bewältigen zu können. So hatte er es immer gehalten. Auch als damals plötzlich ein Wasserschaden behoben werden musste. Es war genügend Geld da, um alles beheben zu können. Er war aus dem Schneider. Nun stellt sich die Situation aber anders da. Es ist kein vorübergehendes Ereignis eingetreten. Vielmehr sieht er eine kontinuierliche Veränderung der wirtschaftlichen Landschaft und er weiß nicht so recht, wie er dieser Herausforderung begegnen soll. Das finanzielle Polster aufzulösen würde eine kurzfristige Erleichterung bringen, aber wie würde es danach weitergehen. Ein Börsengang mit einer nicht auf Wachstum ausgerichteten Druckerei ist nicht erfolgsversprechend. Einen Sozialplan aufzustellen und Mitarbeiter zu entlassen, wäre auch nur eine vorrübergehende Lösung. Außerdem kennt er jeden seiner Mitarbeiter persönlich. Er kennt die Familien und fühlt die Verantwortung für jeden einzelnen von ihnen. Der Gedanke daran, dass eine solche Entscheidung unausweichlich würde, schmerzt ihn sehr.

Herr Wagner entscheidet sich für ein Investment in ein neues Geschäftsfeld und löst sein finanzielles Polster zu diesem

Zweck auf. Er beginnt, eine Marketingagentur aufzubauen. Durch sie sollen die finanziellen Einbrüche der Druckerei aufgefangen werden. So ein Aufbau kostet Zeit, Energie, Geld und benötigt wiederum Zeit bis der Vertrieb die ersten Aufträge einfahren kann und die Früchte der Arbeit geerntet werden können. Kurz – man braucht einen langen Atem. Diesen finanziellen Atem hat er nicht. Das Polster wird nun aufgebraucht und die Kurzarbeit für die Mitarbeiter der Druckerei eingeläutet. Um das Unternehmen zu retten, gibt es nur noch die Möglichkeit, die Fixkosten zu senken, also Mitarbeiter zu entlassen. Eine Maßnahme, die er immer für sich abgelehnt hatte. Er muss die Druckerei verschlanken und Mitarbeiter entlassen, um das Unternehmen zu retten. Das Unternehmen zu retten heißt, den verbleibenden Mitarbeitern den Arbeitsplatz zu erhalten. Sie wären nicht ihrer wirtschaftlichen Grundlage beraubt. Nach reiflichen Überlegungen trifft er diese für ihn schwierige Entscheidung und es gelingt ihm, die verbleibenden Arbeitsplätze zu erhalten.

Natürlich hätte die Geschichte auch nicht gut ausgehen können. Es hätte trotz der Anstrengungen des Firmeninhabers zur Insolvenz und zur Schließung der Druckerei kommen können. Kein Arbeitsplatz wäre gerettet worden. Das Ergebnis aller Anstrengungen unseres Protagonisten hätte damit nicht zum Ziel geführt, die Arbeitsplätze zu retten. Doch unabhängig davon, wie das Ergebnis seines Handelns ausgefallen wäre, wäre in jedem Falle die Motivation geblieben, die zu seinem Handeln führte, nämlich Arbeitsplätze zu retten. Seine positive innere Haltung zu seinen Mitarbeitern bestimmte die Motivation seines Handelns.

Wir können uns mit unseren Fehlentscheidungen in unserem Leben versöhnen, wenn wir unser Augenmerk auf die Motivation, die zur Entscheidung geführt hat, richten. Wie war unsere innere Haltung, unsere Motivation, die unser Handeln bestimmt hat? War sie von einer positiven, von Liebe geprägten Haltung bestimmt? War sie ethisch vertretbar? Prüfen wir es. War sie ethisch nicht vertretbar, sollten wir versuchen, es beim nächsten Mal besser zu machen. Wenn ja, versöhnen wir uns mit unserer Fehlentscheidung und öffnen den Raum für mehr Zufriedenheit in unserem Leben.

Ethische Stabilität oder wie gelange ich zu einer positiven Haltung

Die Frage, die es zu beantworten gilt, lautet, wie gelange ich zu einer positiven Haltung, bei der mein Handeln von einer ethisch guten Motivation geprägt ist. Diese Frage wird von den Religionen der Welt und von den Großen der Philosophie behandelt. Theoretische Auseinandersetzungen zu diesem Thema sind so alt wie die Menschheitsgeschichte. Schon das zeigt, dass eine Beantwortung wohl in Abhandlungen möglich ist, aber letztlich zu keiner wesentlichen Verbesserung des menschlichen Miteinanders geführt hat. Das wiederum heißt nicht, alle Versuche, die zu Verbesserungen führen, beiseite zu legen und weiterzumachen wie bisher.

Die Auseinandersetzung der Weltreligionen mit ethischen Fragestellungen zeigt, dass alle etwas gemein haben[11]. Allen ist die Behandlung dieser Fragen wichtig und unverzichtbar. Die unterschiedlichen Ausprägungen der Herangehensweise, seien es mystische oder meditative Ansätze oder Regeln und Gebote, die es gilt einzuhalten, wie in den christlichen Religionen, dem Judentum oder dem Islam, haben immer zum Ziel, ein friedvolles menschliches Miteinander zu schaffen und zu gewährleisten. »Ich glaube, dass uns alle großen Religionen lehren, mitfühlendere und bessere Menschen zu werden. Alle Religionen verkünden eine Botschaft der Liebe, des Mitgefühls und der Vergebung«, sagt der Dalai Lama.[12] »Für einige Menschen ist der Glaube, dass die einzelne Person nichts, der Schöpfer hingegen von einer alles überragenden Bedeutung ist, angemessen. Wenn alles in den Händen des Schöpfers liegt, dann sollte man nichts gegen den Willen des

---

11   Corinna Diederichs, Perspektivwechsel, Auf der Suche nach Gemeinsamkeiten, Kaarst 2020

12   Dalai Lama, Über, Liebe, Glück und was im Leben wirklich wichtig ist, Freiburg im Breisgau, 2010, S. 19

Schöpfers tun. Wenn die Menschen sich danach richten, verleiht ihnen das eine ethische Ausrichtung und eine ethische Stabilität. Dann gibt es wiederum andere Menschen, die eher logisch und mit mehr Unabhängigkeit an die Religion herangehen. Für diese Menschen gibt es die Erklärung, dass nicht alles in den Händen des allmächtigen Schöpfers, sondern in ihren eigenen Händen liegt, was einen großen Unterschied macht.«[13]

Letztlich dienen alle unterstützenden ethischen Leitlinien dazu, die Menschheit ethisch zu stabilisieren und damit zu erhalten. Was unterschiedliche religiöse Vertreter aus Machthunger, persönlichen oder politischen Interessen und geistiger Verirrung zu allen Zeiten der Geschichte aus ehemals guten und sinnvollen ethischen Geländern machten, steht auf einem anderen Blatt. Die Motivation ihres Handelns war häufig in keiner Weise ethisch einwandfrei.

Natürlich gibt es auch die Verirrten, die überzeugt sind, dass ihrem ethisch grausamen Handeln eine Motivation zugrunde liegt, die ethisch einwandfrei ist. Damit rechtfertigen sie ihr Handeln. Wenn eine Bevölkerungsgruppe vernichtet werden soll, damit die angreifende Gruppe über einen größeren Lebensraum verfügen kann, dann beruht die Motivation des Handelns der Angreifer auf der Annahme, dass sie erhaltenswerter seien. Für den ethisch stabilen Menschen wird deutlich sichtbar, dass die Annahme auf der die Motivation des Handelns aufgebaut wurde, ethisch nicht einwandfrei ist. Religiöse Fanatiker oder politische Extremisten konstruieren oftmals Gedankengebäude, die ihr unethisches Handeln

---

13 Dalai Lama, Über, Liebe, Glück und was im Leben wirklich wichtig ist, Freiburg im Breisgau, 2010; S. 21

und ihre Motivation dahinter auf ethisch verwerfliche Annahmen gründen. Wenn ihr Streben nicht aus persönlichem Machthunger oder anderen persönlichen Interessen getrieben ist, liegen geistige Verirrungen psychischen Ursprungs vor oder es handelt sich um eine Verquickung von beidem. Diesen Menschen ist zu wünschen, dass ihnen gelingt, ihren Blick zu klären, um zu ethischer Stabilität zu gelangen.

Der Dalai Lama nennt als wichtigste Punkte ein warmes Herz und einen gezähmten Geist, um einen Weg zu ethischer Stabilität zu finden. Schauen wir uns diese Punkte näher an.

Max ist ein junger Mann von achtundzwanzig Jahren, der auf dem Land groß geworden ist. Seine Eltern ermöglichen ihm eine Ausbildung zum Landwirt, damit er am Hof des Großvaters mitarbeiten könne. Jede Hand wird dort gebraucht. Der Hof ist die Ernährungsgrundlage zweier Generationen. Max absolviert die Ausbildung und entscheidet sich dann zum Studium der Betriebswirtschaft. Sein Berufsziel ist, irgendwann einmal ein Unternehmen zu führen und damit erfolgreich seinen Lebensunterhalt zu bestreiten.

Auf dem Hof seines Großvaters arbeitet er mit, wenn es sein Studium erlaubt, bringt neue Ideen ein und versucht sie umzusetzen. Der landwirtschaftliche Anbau ohne Verwendung von gesundheitsschädlichen Stoffen ist ihm wichtig und die artgerechte Haltung des Viehs ebenfalls. Vom Großvater hat er gelernt, die Betriebswirtschaftlichkeit des Hofes immer im Auge zu behalten, da der Hof mehrere Familien ernähren muss.

Max beendet sein Studium erfolgreich und beginnt seinen ersten Job in einem Konzern in der Finanzabteilung. Er ist mit Begeisterung dabei und entwickelt sich schnell weiter zum Teamleiter. Unerwartet verstirbt sein Großvater, der den Hof ein Leben lang verantwortungsvoll geführt hat und damit die Basis für den Lebensunterhalt dreier Generationen bot. Alle direkten Nachkommen des Altbauern erweisen sich für die Übernahme der Landwirtschaft als nicht geeignet. Entweder haben sie inzwischen die Region verlassen, Erfolg in anderen Berufen oder die Belastung durch die Gesamtverantwortung für einen Hof bedeutet für sie eine Überforderung. Max wäre der einzige, der es machen könnte, da ist man sich in der Familie einig. Man fragt ihn und er zögert nicht, ja zu sagen. Ihm ist klar, wieviel Personen existenziell von der Landwirtschaft abhängig sind. Die Vorstellung, den Verwandten die wirtschaftliche Basis zu entziehen, wenn er auf dem von ihm eingeschlagenen Berufsweg bestehen würde, ist für ihn unerträglich. Max kündigt seinen Job in der Finanzabteilung des Konzerns und übernimmt die Verantwortung für den Hof.

Es gibt viel Neues für ihn zu lernen und seine Arbeitstage sind länger als im Konzern. Er muss früh raus und früh ins Bett. Damit fällt das späte Chillen mit den Kumpels aus. Sein Leben verändert sich. So vergehen Wochen und Monate. Im Herbst, während der Erntezeit, die ihn ordentlich in Anspruch nimmt, ereignet sich 250 Kilometer entfernt eine durch gewaltige Regenmassen ausgelöste Überschwemmungskatastrophe. Menschen verlieren ihre Häuser, ihre Geschäfte, ihre Lebensgrundlagen. Max beginnt, mit den Menschen zu fühlen, Menschen, die er gar nicht kennt.

Er beginnt sich vorstellen, wie es sich anfühlt, über Nacht alles zu verlieren. So zögert er nicht und fährt mit einigen Landmaschinen in die Katastrophengegend, um die Menschen von Schlamm und Unrat in ihren Häusern zu befreien. Er verlässt seine Erntearbeit für einige Tage und hilft den Menschen, die es gerade bitter benötigen. Unsagbare Dankbarkeit und die glücklichen Gesichter dieser Menschen sind sein Lohn in diesen Tagen; Tage und Gesichter, die er nicht wieder vergessen wird. Sein Verständnis von Glück und Zufriedenheit beginnt von diesen Bildern geprägt zu werden. Es bekommt eine neue Qualität, vielleicht etwas Existenzielleres, etwas Essentielleres als zuvor.

Max war in der Vergangenheit hilfsbereit und verantwortungsvoll. Das zeigt seine Lebensgeschichte. Aber durch dieses Erlebnis schärft sich seine Wahrnehmung für das Existentielle und Essentielle des Lebens und löst bei ihm ein starkes Gefühl aus. Im Zentrum dieses Gefühls stehen die vom Schicksal hart getroffenen Menschen. Er fühlt im wahrsten Sinne des Wortes mit. Es ist nicht das von Bedauern geprägte Mitleid, sondern das Mitgefühl eines warmen Herzens, das ihn zwingt, sich in die Situation der Menschen hinein zu fühlen und für sie da zu sein, auch wenn seine eigene Arbeit nach Erledigung ruft. Letztlich hat Max durch dieses Erlebnis einen Erkenntnisgewinn, der sein Handeln zukünftig mehr bestimmen wird als vorher. Er beginnt, sich glücklich und zufrieden zu fühlen, indem er anderen Menschen zu Glück und Zufriedenheit verhilft. Diese Erkenntnis wird Bestandteil seiner Haltung und verhilft ihm zu weiterer ethischer Stabilität. Wir gelangen nicht plötzlich zu ethischer Stabilität und der Vorgang ist dann abgeschlossen. Unser ganzes Leben müssen wir daran arbeiten. Unterschiedliche Ereignisse und Schicksale stellen unsere Haltung und damit unsere ethische Stabilität immer wieder auf den Prüfstand. Liebe und Mitgefühl sind zwei wesentliche Fundamente, auf denen ein ethisches Geländer aufbauen kann.

Nun nennt der Dalai Lama weiter noch den gezähmten Geist, der uns helfen könne, zu mehr ethischer Stabilität zu gelangen. Wie sieht ein gezähmter Geist aus?

Kennen wir nicht alle den Wutausbruch, wenn Dinge schieflaufen, wenn uns etwas nicht passt oder uns völlig gegen den Strich geht? Manche Menschen sind impulsiver als andere, manche eher cholerisch veranlagt und manche ruhigere Gemüter. Die letzte Gruppe hat es etwas einfacher, den Geist, das Gemüt zu zähmen, die anderen beiden Gruppen müssen etwas mehr daran arbeiten.

Freunde oder Partner geben uns im alltäglichen Miteinander Hinweise, um uns auf unser überhitztes Gemüt aufmerksam zu machen. ›Polter nicht gleich los‹, ›zügele dein Temperament‹, ›beruhige dich doch erst einmal‹, ›ruhig Blut‹ – das sind die guten Ratschläge unserer Umgebung, die oftmals helfen sollen, unseren ersten emotionalen Sturm etwas einzudämmen. Gerne kontern wir mit dem ›Ich bin halt so‹. Im tiefsten Inneren wissen wir eigentlich schon – wenn wir uns gegenüber ganz ehrlich sind – dass ein überhitztes Gemüt unseren zwischenmenschlichen Beziehungen schadet, aber auch unserer psychischen und physischen Gesundheit nicht zuträglich ist. Die Psychologie gibt Erklärungen zu den Phänomenen Wut, Zorn und Ärger. Antworten und auch Lösungsansätze, mit diesen Phänomenen zurecht zu kommen, finden wir zum Beispiel bei Stangl (2021).

Dort lesen wir, dass »Wut eine heftige Emotion bezeichnet oder eine Erklärung für eine impulsive und aggressive Reaktion ist, die durch eine als unangenehm empfundene Situation ausgelöst wurde. Die Psychologie grenzt dabei die Wut von Zorn und Ärger ab, indem sie ihr ein höheres Erregungsniveau und stärkere Intensität zuweist. Von Zorn spricht man dann, wenn die Angelegenheit, die einen Menschen ärgert, nicht primär auf das Ich bezogen ist, sondern auf etwas Übergreifendes, d. h., der Zorn ist distanzierter als die Wut. Die Emotionen Wut und Ärger haben die biologische Funktion, das Individuum zu alarmieren, falls eine Grenzüberschreitung oder Verletzung droht, und bewegen zur Gegenwehr«.[14]

Stangl bezieht sich in seinen Arbeitsblättern auf den Psychologen Volkmar Höfling. Im Spiegel Online vom 10. Mai 2013 gab dieser einige Hinweise, mit denen man unkontrollierten Erregungen wie der Wut begegnen kann, um das Ausrasten im Ernstfall zu verhindern bzw. die dabei aufkommenden Aggressionen zu zügeln. Stangl sagt: »Das Problem bei einer Wut aus psychologischer Sicht besteht darin, dass diese so stark ist, aber gleichzeitig ist es psychologisch gesehen nicht zielführend, sich zu stark aufzuregen, denn das hilft ja bei der Situation nicht weiter. Wenn Ärger oder Wut zu stark werden, ist die Frage vielmehr, was man tun kann, dass die Wut schwächer wird, welche Verhaltensweisen sollte

---

14   Stangl, W. (2021). Stichwort: ›Wut – Online Lexikon für Psychologie und Pädagogik‹. Online Lexikon für Psychologie und Pädagogik. WWW: https://lexikon.stangl.eu/25534/wut (2021-08-29)

man unterlassen, damit die Wut nicht noch stärker wird. Erst danach kann man sich wieder um das Problem kümmern, das die Wut ausgelöst hat. Wut ist bekanntlich eine normale menschliche Reaktion, und wer sich nur hin und wieder über etwas ärgert, muss keine Angst vor einem Herzinfarkt haben, doch wer seine Wutausbrüche zur Gewohnheit werden lässt, kann sich selbst schaden. Choleriker, also Menschen mit häufigen Wutausbrüchen, schaden nicht nur ihren Mitmenschen, sondern auch sich selbst, vor allem jene, die unter einer Herz- oder Gefäßerkrankung leiden. Starke Emotionen erhöhen die Herzfrequenz und den Blutdruck, während sich gleichzeitig die Gefäße verengen, sodass das Blut, das nun vermehrt durch die Adern fließt, ins Stocken gerät. So bildet sich unter Umständen ein Blutpfropfen, der einen Herz- oder Hirninfarkt auslösen kann. Choleriker haben im Durchschnitt eine geringere Lebenserwartung. Kardiologen empfehlen daher Menschen, die bereits Herz- oder Gefäßprobleme haben und leicht an die Decke gehen, für Ausgleich zu sorgen, wobei Sport und Entspannungstechniken dabei helfen, Stress abzubauen und gelassen zu bleiben, auch wenn etwas schief läuft. Langfristig betrachtet kann man prophylaktisch regelmäßig Techniken zur Entspannung, wie autogenes Training, progressive Muskelentspannung oder Strategien der Achtsamkeit praktizieren, die dabei helfen, die Schwelle zu heben, bei der man mit starker Wut reagiert. Diese Strategien können mit einiger Übung resistenter gegenüber Stress machen. Auch vermehrte Empathie für unser Gegenüber kann übrigens helfen, Verständnis zu entwickeln und moderat auf Konflikte zu reagieren. Für eine Situation selbst kann man Verhaltensweisen lernen, indem man sich entweder ablenkt oder so verhält, dass das Verhalten mit der Wut nicht kompatibel ist, um so seinem

Gehirn mitzuteilen, dieses Gefühl Wut abzuschwächen. Damit ist gemeint, entgegengesetzt zu handeln, also mit der Wut inkompatible Dinge zu tun. Bei Wut ist der Handlungsimpuls, etwas zu zerstören oder etwas zu tun, was für mich oder andere schädlich sein könnte, sodass man ein Verhalten an den Tag legen kann, das mit Wut eigentlich nicht kompatibel ist, etwa indem man mit dem Wutauslöser ein freundliches Gespräch zu einem anderen Thema beginnt. Damit kann man sich notfalls in einen anderen Modus bringen und sich helfen, dieses Gefühl von Wut nicht noch mehr zu steigern. Meist ist die primäre Emotion in solchen Situationen gar nicht die Wut, sondern die Ohnmacht, etwas nicht zu bekommen, was man eigentlich möchte. Man ist hilflos, und die Wut kommt als sekundäre Emotion dazu, weil sie uns scheinbar mehr Handlungsmöglichkeiten, mehr Energie liefert, als die Hilflosigkeit. Bei einer Hilflosigkeit fühlt man sich ausgeliefert und energielos, kann nicht aktiv werden, aber die Wut gibt einem die Möglichkeit, wieder handlungsfähig zu sein. Wie man aus Erfahrung weiß, hilft eine destruktive Reaktion manchmal bei der Regulation der Wut und liefert einen kurzen Augenblick der Befriedigung, doch langfristig richtet man einen oft noch größeren Schaden an. Entspannungs- oder Achtsamkeitsübungen wirken in so einem kritischen Moment nicht oder nicht sofort, weil man dann einfach zu sehr seinen Emotionen ausgeliefert ist. Da hilft es manchmal, starke Körperempfindungen auszulösen, also zum Beispiel Kälte auf der Haut durch Eiswürfel oder kaltes Wasser, oder Schärfe im Mund, indem man auf eine Chilischote beißt«[15].

---

15 Stangl, W. (2021). Der richtige Umgang mit unkontrollierten Erregungen – arbeitsblätter news. Werner Stangls Arbeitsblätter-News. WWW: https://arbeitsblaetter-news.stangl-taller.at/der-richtige-umgang-mit-unkontrollierten-erregungen/ (2021-08-29).

Soviel zu den praktischen Hilfen aus der Psychologie, um uns aus unseren überhitzten Gemütszuständen herauszuhelfen.

Für so manchen von uns stellt das Bemühen der philosophischen Brille zur Betrachtung überhitzter Gemütszustände eine nicht minder gute Hilfe dar.

Wenn wir beispielsweise annehmen, dass Ereignisse oder Personen, die unsere Wut, unseren Zorn oder gar unseren Hass heraufbeschwören, das zunächst einmal nur bei uns tun und somit in dieser Form nur für uns existent sind, aber für andere Menschen überhaupt nicht, weil diese Gefühle bei ihnen nicht auslöst werden, müssen wir erkennen, dass es absolut gesehen keine Personen oder Ereignisse gibt, die Gefühle wie Zorn, Wut oder Hass auslösen. Sie sind nur für uns in diesem bestimmten Augenblick vorhanden. Diese Erkenntnis kann uns helfen, Situationen oder Personen, die bei uns negative Gefühle wie Zorn, Wut oder Hass auslösen, mit anderen Augen zu sehen und damit die Intensität unserer negativen Gefühle abmildern.

So ausgerüstet wird unser Weg zu mehr ethischer Stabilität und zu einer positiven Haltung leichter zu gehen sein. Die Anstrengungen lohnen sich. Unsere psychische und physische Gesundheit und auch unsere soziale Umgebung werden es uns danken. Als Geschenk für unsere Anstrengungen dürfen wir mehr persönliche Zufriedenheit und Glücksmomente erwarten.

Das ethische Geländer

Was könnte für uns ein ethisches Geländer zur Orientierung sein? Wie müsste dieses Geländer aussehen? Wir kennen im Christentum und im Judentum die Zehn Gebote im Alten Testament der Bibel.[16] Im Islam finden sich in der Sechsten Sure des Koran fünf Gebote und fünf Verbote.[17] Im Buddhismus finden sich fünf sittliche Gebote und auch der »Achtfache Pfad der Erkenntnis«. Der Hinduismus vereinigt viele unterschiedliche Religionen und kennt demzufolge unterschiedliche Lebensregeln, die er gleichberechtigt nebeneinander bestehen lässt.[18] Religionen, Kirchen und Philosophen haben sich über Jahrtausende hinweg ethischen Fragen gewidmet. Es wurde und wird viel geschrieben, viel diskutiert und auch gefordert. Heute werden Ethikkommissionen gebildet, die sich aus Vertretern verschiedener Berufs- oder Wissenschaftsdisziplinen zusammensetzen. Es ist ihre Aufgabe, schwer lösbare ethische Problemstellungen anzufassen und Lösungen zu präsentieren. Allerdings dürfen wir nicht vergessen, dass Ethikkommissionen immer Gebilde ihrer jeweiligen Zeit, ihres sozialen Umfeldes und ihres jeweiligen örtlichen Standortes sind. Auf die unterschiedlichen ethischen Strömungen und Entwicklungen innerhalb der Geschichte an den verschiedenen Standorten der Welt möchte ich an dieser Stelle nicht eingehen. Das würde uns zu weit davontragen. Doch gehen wir einmal davon aus, dass fast alle einmal getroffenen Aussagen zu diesem außerordentlich umfangreichen Themenkomplex ihre Berechtigung haben, weil in ihrem

---

16 Die Bibel, Schlachter Version 2000, Genfer Bibel Gesellschaft, Genf 2009
17 Der Koran, aus dem Arabischen übersetzt von Max Henning, Reclam, Ditzingen, 1960
18 Eckhard Wolz-Gottwald, Atlas der Weltreligionen, Via Nova, Petersberg, 2010

ursprünglich besten Sinne ihr Ziel ist, Leben zu schützen und ein friedvolles menschliches Miteinander zu sichern. Aber stehen wir dann nicht trotzdem vor neuen Fragestellungen? Wie kann ein gemeinsames ethisches Geländer bei unterschiedlichen Einflüssen aussehen? Sind historische, soziologische, religiöse und Einflüsse des Lebensraums im Allgemeinen nicht unüberwindbar? Unterscheiden sich die Wege und Vorstellungen zu Ethik nicht zu sehr?

Ich meine Nein, denn wer zwingt uns, auf das Unterscheidende zu schauen? Schauen wir doch auf das Gemeinsame. Das Gemeinsame ist eingebettet in das Menschen erhaltende Moment, das zum Ziel hat, die Spezies Mensch überleben zu lassen. Somit ist es völlig unerheblich, welchen religiösen Hintergrund wir haben, welchem sozialen Umfeld wir entstammen oder wo wir geboren sind, wenn unser Bestreben ist, Liebe und Mitgefühl zum Zentrum unserer Handlungsmotivation zu machen. Dazu müssen wir alle anderen unserer tagtäglichen Handlungsmotivationen – wie juristische Rahmenbedingungen, wirtschaftlichen Erfolg, persönliche Rechthaberei – diesen beiden unterordnen. Wenn wir das tun, bekommen wir zwei gute Haltegriffe, die uns den Weg zu mehr innerer Zufriedenheit erleichtern.

Die künstliche Intelligenz ermöglicht uns beispielsweise in naher Zukunft, Fahrzeuge zu nutzen, die qua menschlicher Programmierung entscheiden werden, ob beispielsweise bei einem Bremsversagen unseres Fahrzeugs dasselbe eher gegen den Baum gelenkt werden soll oder ob die Mutter, die sich gerade auf der Straße mit einem Kinderwagen befindet, angesteuert werden soll. Was für eine Fragestellung und wer will diese Frage unter ethischen Gesichtspunkten beantworten? Ist das Leben des Fahrers eher zu erhalten oder das der Mutter mit dem Kinderwagen? Wer ist mehr wert? Das Kind hat das Leben noch vor sich; es steht gewissermaßen für die Zukunft unserer Gesellschaft. Die Mutter ist noch jung und kann noch viele Kinder bekommen. Auch sie steht für die Zukunft unserer Gesellschaft. Der Fahrer des Fahrzeugs ist über vierzig und hat schon einen großen Teil seines Lebens hinter sich gebracht. Er hat vielleicht als Arzt vielen Menschen das Leben gerettet. Somit hat er einen hohen Wert in der Gesellschaft. Menschen haben ihm etwas zu verdanken, vielleicht sogar ihr Leben. Bei dem Kind im Kinderwagen, bei der Mutter wie auch bei dem Fahrer des Fahrzeugs wissen wir nicht, wieviel Lebensjahre sie noch vor sich hätten, wenn die Bremsen des Fahrzeugs nicht versagen würden. Sicher wird man bei der Programmierung versuchen, in die Berechnungen mit einzubeziehen, wer bei einem Zusammenstoß die größeren Überlebenschancen hätte. Doch trotzdem – es ist nicht mit einhundertprozentiger Sicherheit vorhersehbar, wer eher überleben würde. Was bleibt wird gemeinhin als Schicksal oder Gottes Hand bezeichnet. Bleibt die Frage, ob im Rahmen der Programmierung eine solche schwerwiegende ethische Entscheidung überhaupt getroffen werden kann und sollte. Man stelle sich die vielen Softwareentwickler vor, denen man irgendwann sagen würde, für welche Sterbefälle sie bei Unfällen verantwortlich gewesen sind.

In Zeiten von Kriegen und anderen Katastrophen ergeben sich immer wieder Situationen, die unter ethischen Gesichtspunkten schwer zu treffende Entscheidungen erfordern. Wer wird zuerst gerettet? Wer wird zuerst behandelt?

Wer sie im Augenblick einer kritischen Situation beantworten muss, fühlt in der Regel eine unerträgliche Last. Dennoch gibt es Situationen, bei denen wir uns schweren Entscheidungen stellen müssen. Mancher leidet ein Leben lang unter einer Entscheidung, die er einmal hat treffen müssen. Doch seien wir uns bewusst, dass zur Entscheidungsfindung unsere innere Haltung, die unserer Entscheidung zugrunde liegt, einer späteren Betrachtung standhalten muss. Das verleiht uns die nötige innere Stabilität, auch wenn das Ergebnis unserer Entscheidung nicht gut ist.

Wir müssen uns davon verabschieden, dass es immer ein eindeutig Richtig oder ein eindeutig Falsch gibt. Natürlich existieren gesellschaftliche Übereinkünfte, aber auch diese müssen nicht immer eindeutig richtig oder eindeutig falsch sein. Wenn wir an die Zeit der Nazi-Diktatur denken, in der es die gesellschaftliche Übereinkunft gab, dass Juden, Behinderte und andere Gruppen Menschen zweiter Klasse seien, die es gälte zu vernichten, dann handelte es sich hier um eine gesellschaftliche Übereinkunft, die von der Gesellschaft getragen wurde – sicher in vielen Fällen unter Zwang und sozialem Druck. Heute stufen wir zum Glück diese Übereinkunft als menschenverachtend und falsch ein. Nach dem Krieg hatten einige Menschen mental mit dem Dilemma der Einordnung von Richtig und Falsch zu kämpfen. Im Dritten Reich wurden ihnen Ideale und Werte vermittelt, die sie als junge Heranwachsende oder Erwachsene aufnahmen, nach denen sie lebten oder leben mussten. Nach Kriegsende waren sie mit dem Wiederaufbau beschäftigt. Viele Männer waren im Krieg geblieben oder kriegsversehrt. Familien hatten ihre Söhne für ein Unrechtsregime im Krieg geopfert.

Männer und Frauen, die überlebten, hatten ihre Jugend diesem Regime sinnlos geschenkt – eine bittere Erkenntnis. Nach Kriegsende sollte nach neuen Werten und Idealen gelebt werden. So manchem, der nicht explizit Gegner der Ideale des Naziregimes war, fiel es schwer, den Schalter umzulegen und so manchem gelang es gar nicht. Man hatte sich mit dem Regime des Nationalsozialismus arrangiert; denn Geld musste verdient werden, Familien wollten ernährt sein und ein bescheidener Wohlstand und beruflicher Erfolg zählten – auch wie heute – zu den Bedürfnissen der Menschen. All dies führte zur Sprachlosigkeit oder äußerte sich in Sätzen wie: ›Wie kann das, was gestern richtig war, heute falsch sein‹. Im Geschichtsunterricht der Nachkriegsgeneration und der Babyboomer wurde diese dunkle Zeit geflissentlich ausgespart.[19] Zuviel inneres Konfliktpotenzial, eigene Verarbeitung der Wertewelt des Nationalsozialismus und neue Werte prallten aufeinander und blockierten die Vermittlung an die nachfolgenden Generationen. Im privaten wie im beruflichen Umfeld wurde geschwiegen und verdrängt.[20]

Sicher wird es immer Menschen in unserem Umfeld geben, die davon überzeugt sind, dass es bei jeder Entscheidung immer ein Richtig oder ein Falsch gäbe. Anders ließe sich nicht erklären, dass bei vermeintlichen Fehlentscheidungen immer

---

19   Neuanfang nach dem Ende des »Dritten Reiches« aus: Uwe Schmidt, Hamburger Schulen im »Dritten Reich« Band 1, Herausgegeben von Rainer Hering. Beiträge zur Geschichte Hamburgs, Herausgegeben vom Verein für hamburgische Geschichte, Band 64, S. 685–753, Hamburg University Press 2010, Verlag der Staats- und Universitätsbibliothek Hamburg, Carl von Ossietzky

20   Nachkriegszeit,Vergangenheitsbewältigung, Artikel von Gabriele Trost, SWR Planet Wissen Stand 19.10.20

nach dem Schuldigen gesucht wird, der zur Rechenschaft gezogen und verurteilt werden muss. Ich beziehe mich hier ausdrücklich nicht auf justiziable Straftaten, für deren Behandlung es gesellschaftliche Übereinkünfte gibt. Diese Übereinkünfte hängen von der Historie, dem politischen Umfeld und der Verortung der jeweiligen Gesellschaft ab. So ist beispielsweise der Ehebruch in manchen islamisch geprägten Gesellschaften strafbar und wird mit drakonischen Strafen geahndet. Berichte von Steinigungen des Ehebruchs bezichtigter Ehefrauen kommen immer wieder vor. In christlich geprägten Gesellschaften, wie beispielsweise in Deutschland, war der Ehebruch noch vor zweiundfünfzig Jahren ebenfalls strafbar und wurde juristisch entsprechend behandelt. Der gesellschaftliche und historische Wandel haben den Blick auf das Thema Ehebruch und den Umgang damit verändert.

So sehen wir, dass ein ›Richtig‹ nur in den Augen des jeweiligen Betrachters – der nicht losgelöst von seinem sozialen Umfeld, seiner persönlichen Geschichte und Erziehung lebt – ein Richtig sein kann. Genauso verhält es sich mit einem ›Falsch‹. Entscheidend ist die jeweilige Motivation, die unser Handeln bestimmt und die innere Haltung, die wiederum die Motivation bestimmt. Wenn unsere Motivation und innere Haltung von Liebe und Mitgefühl bestimmt werden, wird es unser Handeln auch sein.

Auch wenn beispielsweise eine unserer Handlungen in den Augen des einen oder anderen Mitmenschen falsch war, wird sie uns zu mehr ethischer Stabilität führen, wenn wir uns gewiss sein können, dass unsere innere Haltung und Motivation von Liebe und Mitgefühl geprägt waren. Und wenn ein anderer

Betrachter diese Motivation kennt, wird er nicht leugnen können, dass sie gut war, auch wenn er die Handlung selbst als falsch empfindet.

Stellen wir uns folgende Situation vor. Viel Phantasie dazu benötigen wir nicht, denn solche Situationen füllen häufig die Seiten in den Gazetten. Ein junger Mann wartet an einem Bahnsteig auf einen Zug. Es ist spät und er steht dort allein. Eine Gruppe anderer junger Männer nähert sich ihm mit der Absicht, etwas zu pöbeln und ihm das zu entreißen, was er an Werten gerade bei sich trägt. Zufällig fahren zwei andere Männer mittleren Alters die Rolltreppe zum Bahnsteig hinunter und mischen sich mutig in das Geschehen ein, weil sie dem Angepöbelten helfen wollen. Es kommt zu heftigen körperlichen Auseinandersetzungen der Kontrahenten, bei der einer der Angreifer lebensgefährlich von einem Helfenden verletzt wird. War nun die Aktion des Helfenden richtig oder falsch? War er ebenfalls nur dort, um etwas zu pöbeln oder wollte er wirklich Hilfe leisten? Was war seine Motivation, dem Opfer des Angriffs zu helfen? Auch das sind unter juristischen Gesichtspunkten Fragen, die bei der Gerichtsverhandlung bewegt werden. Wir können uns glücklich schätzen, dass dies in unserer Gesellschaft so gehandhabt wird, auch wenn uns manchmal die Urteile des Gerichts unverständlich erscheinen und wir den Eindruck haben, dass Anwälte und juristische Winkelzüge das Geschehen vor Gericht bestimmen und unser Rechtsgefühl sich betrogen fühlt.

Mit Liebe und Mitgefühl als ständige Begleiter unserer Handlungsmotivationen erhalten wir eine größere innere Zufriedenheit. Unsere Mitmenschen werden dies spüren, darauf reagieren und uns ihre Sympathie zeigen. Vielleicht werden sie offener und freundlicher in ihrem Verhalten zu uns – nicht jeder und nicht jeden Tag – aber einige werden es tun. Und diese sind es schon wert. Wir werden uns also überlegen, ob wir uns in Ellenbogenmanier an unserem Arbeitsplatz durchsetzen wollen oder ob wir auf unser Können setzen wollen. Wir werden uns überlegen, wie wir Missständen in unserer Gesellschaft begegnen. Vertreten wir unsere Meinung friedlich oder mit Hass, Gewalt und Aggression gegenüber anderen Mitmenschen? Wir werden uns überlegen, ob wir Andersgläubige, Andersaussehende oder Andersdenkende diffamieren und beleidigen wollen oder ob wir sie als Mitmenschen wahrnehmen, die anders sind und die wir gern in unsere Gemeinschaft aufnehmen und für die wir uns interessieren wollen. Wir werden uns überlegen, ob uns die Sorgen von Menschen interessieren, die durch Schicksalsschläge bedürftig geworden sind oder die andere Sorgen plagen. Kümmern wir uns um sie und ihre Sorgen oder sehen wir uns selbst ausschließlich im Mittelpunkt unseres Interesses? Wie einfach ist es doch einem Menschen einmal zuzuhören und ihm das Gefühl zu geben, jetzt in diesem Augenblick ausschließlich für ihn da zu sein. Mit Sicherheit werden wir durch die Reaktionen des Menschen belohnt werden. Wir gelangen zu mehr innerem Glück und Zufriedenheit. Ich könnte diese Liste beliebig lang fortsetzen und so mancher Wohlmeinende könnte mir jetzt sagen: Schön und gut, aber das ist ja nichts Neues. Das weiß doch jeder. Aber es hält sich trotzdem keiner daran. Warum sollte ich das dann tun? Das stimmt – würde ich antworten, und deshalb braucht es immer wieder einen sogenannten ›Booster‹, der uns an Liebe und Mitgefühl erinnert.

Können die Kirchen die Rolle eines solchen Boosters übernehmen? Können es andere Institutionen? Sollen Philosophen es richten? Ist der Staat verantwortlich? Sind es Ethikkommissionen? Braucht es neue Staatstheorien? Wenn ich meine Frageliste weiterführe, müsste ich dann irgendwann konsequenterweise fragen: Wer ist schuld, wenn es nicht funktioniert? Würde uns das weiterbringen? Sicher nicht. Also heißt es an einem unverrückbaren Punkt, nicht die Verantwortung abzugeben und bei Versagen zunächst nach dem Schuldigen zu forschen, sondern selbst in die Verantwortung zu gehen.

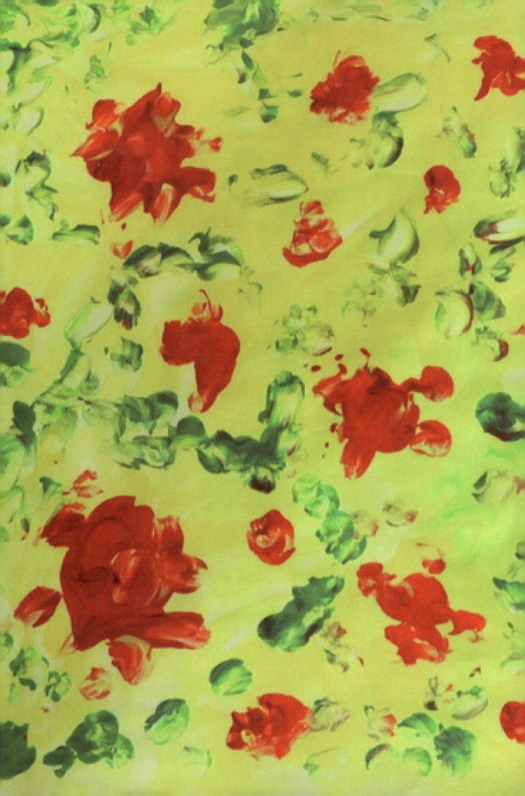

Weltweit werden regelmäßig Befragungen zur Vorbereitung des World Happiness Reports durchgeführt. Die Ergebnisse dieses Reports sollen Aussagen über die jeweilige Zufriedenheit der sich beteiligenden Bevölkerungen treffen. Im Auftrag der Vereinten Nationen analysieren Experten die Ergebnisse und formulieren ihren Bericht. 2011 begannen die Vereinten Nationen sich zum ersten Mal dieses wichtigen Themas anzunehmen. Unter dem Vorsitz von UN-Generalsekretär Ban Ki-moon und dem Premierminister von Bhutan, Jigme Thinley, wurde dieser Report entwickelt und erstmals durchgeführt. Bhutan ist das einzige Land der Welt, welches das sogenannte Bruttoinlandsglück anstelle des Bruttoinlandsproduktes als Indikator nutzt, um das Land politisch weiterzuentwickeln. Seit 2011 wird der World Happiness Report jedes Jahr durchgeführt. So war beispielsweise 2021 Finnland mit einem Durchschnittswert von 7.889 Punkten zum Zeitpunkt der Erhebung das glücklichste Land der Welt. Island erschien auf dem zweiten Platz mit 7.575 Punkten. Auf dem dritten Platz lag mit Dänemark ein weiteres skandinavisches Land. In diesem Ranking belegte Deutschland mit 7.312 Punkten den siebten Rang. Die wichtigsten Kriterien bei dieser Erhebung waren das Bruttoinlandsprodukt, die Großzügigkeit, die Stärke des sozialen Umfelds, das Level der Korruption, die Lebenserwartung sowie die Freiheit für eigene Lebensentscheidungen. Die Befragten wurden gebeten, ihr Leben anhand dieser Kriterien auf einer Skala von 0 bis 10 zu bewerten.[21]

---

21 © Statista 2022

Man kann den Glücksfaktor eines Landes unter Berücksichtigung wirtschaftlicher, bildungsrelevanter oder politischer Fragestellungen ermitteln.
Wie frei fühlen sich die Menschen ihre Meinung zu äußern?
Dürfen sie reisen?
Gibt es freie Wahlen?
Wie sieht der Bruttoinlandsfaktor aus?
Können die Menschen ein auskömmliches Leben führen?
Wie ist es um die Bildung der Bevölkerung bestellt?

Das sind alles wichtige Fragestellungen, die ich nicht in Zweifel ziehen möchte und die sicher ihre Berechtigung haben. Allerdings müssen wir auch feststellen, dass in hochzivilisierten Ländern mit einem hohen und breiten Bildungsstandard innerhalb der Bevölkerung, einer guten Versorgungslage der Bürger, freien Wahlen und freien Reisemöglichkeiten trotzdem eine gewisse allgemeine Unzufriedenheit zu spüren ist. Die einen nennen es Politikverdrossenheit, die anderen sind der Meinung, dass viele Bürger nicht zu relevanten Themen abgeholt würden, wieder andere sind der Meinung, dass die Ursache für die wahrgenommene Unzufriedenheit die soziale Schere wäre, die sich immer weiter öffnen würde. Wieder andere ziehen historische Vergleiche und bringen Zahlen, die belegen, dass die soziale Ungleichheit nicht weiter wachsen würde. Es gibt viele und sogar sich widersprechende Untersuchungen und noch mehr unterschiedliche Pressestellungnahmen zu diesen Themen in Deutschland.

Bhutan hat seit dem 18. Jahrhundert das Glück der Bevölkerung in das Zentrum von Politik und Landesentwicklung gesetzt und blickt somit – wenn man so will – auf eine jahrhundertealte

Erfahrung zurück.[22] In Entwicklungsmodellen der westlichen Welt steht in der Regel das Wirtschaftswachstum im Zentrum des politischen Handelns. Bhutan entwickelte die Idee des Bruttonationalglücks, bei dem Materielles, Kulturelles, aber auch Religiöses und Spirituelles sowie Psychologisches eine Rolle spielen. Alle Mitglieder der Bevölkerung ab dem 15. Lebensjahr bekommen im Abstand von mehreren Jahren die Möglichkeit, sich in einem strukturierten Fragebogen zu diesen Themen zu äußern. Das erklärte Ziel der Regierung ist, auf diese Weise etwas über die Sichtweisen, persönlichen Sorgen und Kümmernisse der Bevölkerung zu erfahren. Als Konsequenz sollen die Lebensbedingungen der weniger zufriedenen Einwohner verbessert werden. Interessanterweise legt der Fragebogen einen besonderen Schwerpunkt bei der Gewichtung auf das psychische Wohlbefinden und die Lebenszufriedenheit der Bewohner. Dabei spielen soziale Unterstützung, das Verhältnis zur Gemeinschaft und zur Familie eine wesentliche Rolle. Spiritualität ist bei der Bevölkerung Bhutans ein fester Bestandteil ihrer Lebenswirklichkeit und wird damit auch zum Bestandteil des Fragebogens. Kleidung und Benehmen werden bewertet, wie auch ökologische Vielfalt und Bedingungen. Die Zufriedenheit mit der persönlichen Nutzung von Zeit wird abgefragt. So ist beispielsweise das Verhältnis von Arbeit und Schlaf ein Indikator für mentale und physische Gesundheit. Aus allen diesen Dingen ist sichtbar, dass das Interesse Bhutans an seiner Bevölkerung ganzheitlicher verstanden wird. Sicher gibt es verschiedene Wege, eine Idee davon zu erhalten, wie

---

22 Tobias Pfaff, Das Bruttonationalglück aus ordnungspolitischer Sicht- eine Analyse des Wirtschafts- und Gesellschaftssystems von Bhutan, Rat SWD Working Paper 182

es um die jeweilige Bevölkerung eines Landes bestellt ist. Trotzdem – je ganzheitlicher der Betrachtungsansatz ist, umso mehr Informationen liefert er und umso mehr Möglichkeiten zeigen sich, Probleme abzumildern oder sogar abzustellen. Natürlich lassen sich nicht alle Probleme immer vollkommen beseitigen, aber Linderung ist immer eine Verbesserung auf dem Weg zu mehr Zufriedenheit des Einzelnen und damit der Gemeinschaft.

Welchen Anteil haben die großen Kirchen in unserer westlichen Welt an der Zufriedenheit der Bevölkerung? Beantwortet man die Frage aktuell, würde man sicher mit: Eher wenig, antworten. Zu viele Möglichkeiten und Chancen sind vertan worden, zu viele gute versöhnende und friedenstiftende Ansätze Einzelner wurden nicht zugelassen. Eigenes Versagen ist vertuscht worden. Zu viele kirchliche Deckmäntelchen entwickelten sich zu schweren Decken, die ehemals gutes Vorhaben erstickten und auch im Begriff sind, den letzten gutwillig Gläubigen, aus der Kirche zu treiben. Nun will ich an dieser Stelle nicht gegen die Kirchen zu Felde ziehen, möchte aber anmerken, dass das Gebilde Kirche aus vielen Einzelindividuen besteht, die durchaus ihrem Auftrag, mehr Zufriedenheit in ihre Gemeinden und in ihre Umgebung zu bringen, nachkommen könnten. Viele tun das auch und deshalb gebührt ihnen reichlich Anerkennung. Nicht selten werden sie mit den Versagern und Vertuschern in Sippenhaft genommen. Das haben sie nicht verdient.

Letztlich dürfen wir bei der Betrachtung von gemeinschaftlich organisierten Verbänden, die sich ethischen Aufgaben und Aufträgen widmen – sei es der Rettung und Unterstützung von

Armen und Hilfsbedürftigen oder der Rettung von gekenterten Flüchtlingen aus dem Mittelmeer, nicht aus dem Blickwinkel verlieren, dass es sich um Verbände aus Einzelindividuen handelt, die auch persönliche Ziele verfolgen. So können die Personen im guten wie im schlechten Sinne handeln. Der Hut der gemeinnützigen Organisation macht keinen Menschen zu einem besseren Menschen. Das kann nur er selbst.

Lena und Tim haben beide ihr Abitur erfolgreich hinter sich gelassen und möchten sich einer guten Sache verschreiben. Sie überlegen, was sie sich vornehmen könnten, bevor sie sich der Entscheidung zu ihrem künftigen Berufsweg widmen werden. Ihre Zielvorstellung ist Afrika, um dort bei gemeinnützigen Projekten mitzuarbeiten. Sie stellen sich vor, beispielsweise bei einem Schulaufbau zu unterstützen oder Medikamente und Nahrungsmittel unter die Bevölkerung zu bringen. Gesagt, getan!

Bald ist eine entsprechende Organisation gefunden. Die beiden stellen sich mit ihrem Anliegen vor und werden für ein Projekt in Niger ausgewählt. Bei dem Projekt geht es tatsächlich um die Unterstützung eines Schulaufbaus in einem Dorf und um die regelmäßige Versorgung von Dorfbewohnern mit Medikamenten und Nahrungsmitteln, wenn nötig. Noch im selben Jahr soll es losgehen und beide packen mit Spannung und der nötigen Gelassenheit ihre Koffer. Mit der Amtssprache des Landes, Französisch, hoffen sie mit ihren Schulkenntnissen zunächst einmal zurechtkommen zu können. Mit der Zeit würden sie Fortschritte machen und ihre Kenntnisse verbessern. Auf das Land und die Besonderheiten haben sie sich mit reichlich Literatur vorbereitet. Sie nehmen ihre Sache sehr ernst und sind davon beseelt, neue Erfahrungen zu sammeln und dabei Gutes für die Menschen in Niger zu leisten. Mit Vorfreude sitzen sie im Flieger nach Niamey, der Hauptstadt Nigers[23,24]. Niger ist ein Wüsten- und Savannenstaat, der immer wieder von schweren Dürren heimgesucht wird. Nach Möglichkeiten, die Bevölkerung zu unterstützen, muss man nicht lange fahnden. Die mangelnde Geburtenkontrolle und die Mutterschaft von Mädchen, die nicht einmal die Volljährigkeit erlangt haben, führen zu einem starken Wachstum der Bevölkerung. Hungersnöte sind keine Seltenheit und sauberes Trinkwasser ist meist nur den Städtern vorbehalten.

Vom Flughafen bis zum Dorf sind es noch einige Kilometer, die die beiden auf einer abenteuerlichen Fahrt in einem Bus zurücklegen. Im Dorf angekommen, werden sie schon erwartet. Sie nehmen ihre Unterkunft in Augenschein, erkunden die Umgebung und lassen sich über den aktuellen Stand des Projektes berichten. Sie erfahren etwas über Probleme und Schwierigkeiten und wie die Aufgaben der nächsten Tage für sie voraussichtlich aussehen werden.

Am nächsten Tag soll eine Lieferung mit Medikamenten abgeholt und im Dorf verteilt werden. Laurent, ein erfahrener Mitarbeiter des Projektes, wird ihnen zur Seite stehen und sie die nächsten Tage und Wochen einführen. Laurent spricht Französisch. Die Wochen vergehen. Lena und Tim verbessern ihre Sprachkenntnisse, lernen die Infrastruktur des

---

23 Niger, Wikipedia, Die freie Enzyklopädie
24 Dunja Sadaqi, ARD Rabat; Niger, 20 Schulkinder sterben bei Brand, 14.04.21

Dorfes und der Umgebung kennen und haben einiges über die vorherrschenden Krankheiten und über die Art und Weise, wie man sie behandelt gelernt. Grippe, Cholera, Malaria und Meningitis sind die häufigsten Todesursachen in Niger. Aber auch die Billharziose, Gelbfieber, Typhus, Lepra, Tuberkulose und andere schwere virale oder bakterielle Krankheiten setzen der Bevölkerung zu.

Lena und Tim sind so wissbegierig wie neugierig. Sie sind immer gut informiert, motiviert und versuchen sich ständig weiterzubilden. Sie wissen, dass auf 9000 Patienten im Land ein Arzt kommt und dass das Gesundheitssystem grenzenlos überfordert ist. Sie wissen auch, dass das richtige Medikament zur richtigen Zeit Leben retten kann. Der Organisation für die sie arbeiten vertrauen sie. Sie kennen deren Ziele und die Regeln, die zweifelsohne für den guten Zweck stehen. Sie zweifeln nicht daran.

Eines Tages werden wieder Medikamente geliefert, die sie im Dorf verteilen sollen. Dabei fällt ihnen auf, dass der Lieferumfang nicht mit dem Bestellumfang übereinstimmt. Aufgeregt informieren sie Laurent über diese unerfreuliche Tatsache. Geht es doch hier um die Patienten, für die die beiden sich verantwortlich fühlen. Ihre Aufforderung an Laurent, dass man dieser Sache doch nachgehen müsse, wird kurz und knapp kommentiert. Dies passiere des Häufigeren und wahrscheinlich hätte irgendjemand lange Finger gemacht oder das Ganze sei einfach nur ein Versehen.

In den folgenden Wochen bemerken Lena und Tim immer wieder solche Ungereimtheiten. Auch beim Bau der Schule, den sie nicht direkt betreuen, wird bestelltes und bezahltes Baumaterial nicht geliefert. Sie melden die Vorkommnisse wieder und wieder, aber keinen scheint es zu interessieren. Die beiden sind frustriert. Hier geht es doch um eine gute Sache! Der Bevölkerung soll geholfen werden! So kann der Bau der Schule unmöglich schnell vorankommen und schlimmer noch – lebenswichtige Medikamente erreichen nicht die Kranken, die sie dringend benötigen. Die beiden glauben nicht mehr an Zufälle, sondern vermuten ein System hinter allem. Bei aller Frustration und Enttäuschung über das Desinteresse einiger Mitglieder der Wohltätigkeitsorganisation wollen die beiden etwas unternehmen.

Durch Zufall erfahren sie von Einheimischen im Dorf, dass es einen Schwarzmarkt für Medikamente gäbe, auf dem man alle bekäme – wenn man nur genug Geld auf den Tisch legen würde. Man bekäme dort einfach alles – sogar Baumaterial – allerdings zum fünffachen Preis. Die Ärmsten der Armen könnten sich das natürlich nicht leisten, aber einige wenige würden doch über die nötigen Geldmittel verfügen. Offenbar florierte dieses Geschäft.

Lena und Tim gehen der Sache weiter nach und besuchen regelmäßig die Märkte in der näheren und auch entfernteren Umgebung. Sie vermuten, dass sie dort eines Tages auf die veruntreuten Medikamente stoßen würden oder zumindest weitere Hinweise erhalten könnten. Und tatsächlich! Sie entdecken einige Packungen der Medikamente, die wohl bezahlt, aber nie geliefert worden waren. Sie waren von der Organisation für die Kranken des Dorfes bestellt worden, waren bezahlt und fanden ihren Weg nun auf diesen Markt.

Ein paar Typen mit Sonnenbrille in einem dunklen SUV boten Zahlungskräftigen die Heilmittel an. Ihre weiteren Recherchen ergeben, dass die Mitarbeiter der Organisation, die die Medikamente vom Flughafen abholten, die Pakete öffneten und einen Teil beiseite schafften. Für diese Arbeit erhielten sie vom Leiter des Hilfsprojekts eine finanzielle Zuwendung. Dadurch verfügten sie über kleine, zusätzliche Nebeneinnahmen, mit denen sie ihre notleidenden Familien unterstützten. Wieder andere übernahmen dann den Verkauf im Land und verdienten ebenfalls. Der Hauptnutznießer dieses Geschäfts war allerdings der Leiter der Hilfsorganisation. Lena und Tim sind entsetzt. Eine Organisation mit einem untadeligen Ruf steht für das Gute schlechthin. Davon sind sie bis dahin ausgegangen. Nun müssen sie erkennen, dass dies keineswegs so ist. Sie sehen, dass auch Organisationen, die sich dem Guten verschrieben haben, aus verschiedenen, unterschiedlichen Individuen bestehen, die nicht immer nur gute Interessen verfolgen. Manchmal steht die persönliche Bereicherung im Zentrum des Interesses Einzelner. Dadurch wird zwar nicht das gesamte Organisationsgebilde schlecht, aber zumindest Teile davon.

Wir dürfen durchaus Zweifel hegen, ob Staaten, politische Parteien, Glaubensgemeinschaften, Hilfsorganisationen, Clubs, Kirchen, etc., die sich das ethisch Gute zur Aufgabe gestellt haben, auch wirklich ethisch gut handeln. Sicherlich handeln sie in der Regel nicht gänzlich unethisch; denn es gibt immer Menschen, die ihren jeweiligen Auftrag ernst nehmen. Aber es gibt auch immer wieder Menschen, die den Rahmen des ethisch Guten für ihre persönlichen Zwecke nutzen. Bei einigen ist es geplant und Teil ihrer inneren Überzeugung, aus allem ihre Vorteile ziehen zu müssen. Bei wiederum anderen geschieht dies gar nicht vorsätzlich. Man ist irgendwie in etwas hineingeraten und findet aufgrund von Sachzwängen, beispielsweise aus Angst, den Job zu verlieren, finanziellen Schwierigkeiten oder einfach aus eigener Bequemlichkeit nicht mehr heraus. Auch falsch verstandene Dankbarkeit gegenüber Menschen, die persönliche, unethische Interessen in das Zentrum ihres Handelns stellen und dabei andere gönnerhaft partizipieren lassen, indem sie sie instrumentalisieren, veranlasst den einen oder anderen zu Handlungen, die er im tiefsten seines Inneren ablehnen würde.

Aus diesen Betrachtungen ergibt sich ein Auftrag für jeden von uns. Wir werden alle einmal im Laufe unseres Lebens Situationen erleben, die uns vor die Schwierigkeit stellen, ja oder nein zu bestimmten Handlungen sagen zu müssen, die unsere ethische Sensibilität herausfordern. Innerlich lehnen wir die Handlung aus ethischem Empfinden ab, aber es gibt welche Beweggründe auch immer, es dann doch zu tun. Vielleicht haben wir solche Situationen auch schon bereits erlebt. Die einmal Erlebten sollten wir hinter uns lassen und nicht mit uns hadern, wenn wir ja zu dem gesagt haben, was wir eigentlich aus ethischen Gründen abgelehnt hätten. An dem Geschehen können wir nichts ändern. Geschehenes kann uns lediglich den Weg für die Zukunft weisen, indem wir daraus lernen. Aber jeder kann sein Bestes geben, wenn es um die ethische Vertretbarkeit seines Verhaltens geht – wer, wenn nicht jeder Einzelne von uns.

Denken wir dies einmal konsequenterweise zu Ende. Wenn wir sagen, dass ethisch gutes Verhalten durch Liebe und Mitgefühl als Handlungsmotivation gekennzeichnet ist und gutes ethisches Verhalten wiederum zu mehr innerer Zufriedenheit führt, ergibt sich daraus, dass jeder von uns wesentlich verantwortlich für seine innere Zufriedenheit ist. Wenn dem so ist, sollten sich Hassgefühle und Hassreden, Zorn und egoistisches Beharren auf eigenen Richtigkeitsvorstellungen, Wut- und Gewaltausbrüche, Diffamierungen und unangemessene Schuldzuweisungen eigentlich verbieten – eigentlich. Hören wir also nicht auf, an uns zu arbeiten, es lohnt sich!

Literaturhinweise und Quellen

Abdi-Herrle, Sasan; Zeit online, 11. März 2016

Brokoff, Jürgen und Walter-Jochum, Robert (Hg.); Hass/Literatur, transcript Verlag, Bielefeld 2019

Dalai Lama; Über Liebe, Glück und was im Leben wirklich wichtig ist, Freiburg im Breisgau, 2010

Diederichs, Corinna; Perspektivwechsel, Auf der Suche nach Gemeinsamkeiten, Kaarst 2020

Der Koran, aus dem Arabischen übersetzt von Max Henning, Reclam, Ditzingen, 1960

Die Bibel, Schlachter Version 2000, Genfer Bibel Gesellschaft, Genf 2009

Emcke, Carolin; Gegen den Hass, Fischer Verlag, Frankfurt a.M. 2018

Hurrelmann, Klaus, Quenzel, Gudrun; Lebensphase Jugend, Beltz Juventa, Weinheim und Basel, 2012

Kolnai, Aurel; Ekel, Hochmut, Haß. Zur Phänomenologie feindlicher Gefühle, Suhrkamp Verlag, Frankfurt a.M. 2007

Kreft, Nora; Was ist Liebe, Sokrates? Die großen Philosophen über das schönste aller Gefühle, Piper-Verlag 2019

Molcho, Samy; Alles über Körpersprache. Sich selbst und andere besser verstehen, Goldmann Verlag, 2002

Pfaff, Tobias; Das Bruttonationalglück aus ordnungspolitischer Sicht – eine Analyse des Wirtschafts- und Gesellschaftssystems von Bhutan, Rat SWD Working Paper 182

Platon; Symposion / Das Gastmahl: Die Hauptwerke; Ad Fontes Klassikerverlag Feb 2018

Sadaqi, Dunja: ARD Rabat; Niger, 20 Schulkinder sterben bei Brand, 14.04.21

Sadat, Jehan; Ich bin eine Frau aus Ägypten, Heyne Verlag, München 1996

Schmidt, Uwe; Hamburger Schulen im »Dritten Reich« Band 1, Herausgegeben von Rainer Hering; Neuanfang nach dem Ende des »Dritten Reiches«, Beiträge zur Geschichte Hamburgs, Herausgegeben vom Verein für hamburgische Geschichte, Band 64, S. 685-753, Hamburg University Press 2010, Verlag der Staats- und Universitätsbibliothek Hamburg, Carl von Ossietzky

Stangl, W. (2021); Stichwort: ‚Wut - Online Lexikon für Psychologie und Pädagogik'. Online Lexikon für Psychologie und Pädagogik. WWW: https://lexikon.stangl.eu/25534/wut (2021-08-29)

Stangl, W. (2021); Der richtige Umgang mit unkontrollierten Erregungen. Werner Stangls Arbeitsblätter-News. WWW: https://arbeitsblaetter-newsstangl-taller.at/der-richtige-umgang-mit-unkontrollierten-erregungen/ (2021-08-29).

Statista 2022

Trost, Gabriele; Artikel »Nachkriegszeit, Vergangenheits-bewältigung«, SWR Planet Wissen Stand 19.10.20

Niger, Wikipedia, Die freie Enzyklopädie

Wolz-Gottwald, Eckhard; Atlas der Weltreligionen, Via Nova, Petersberg, 2010

Über die Autorin

Corinna Diederichs wurde 1958 in Gelsenkirchen geboren und studierte neben Germanistik und katholischer Theologie, Philosophie mit den Schwerpunkten »Sprachphilosophie« und »Artificial Intelligence«.

Ihr beruflicher Weg führte sie in die Wirtschaft und in die Internationalität. Über eine Personal- und Unternehmensberatung beschritt sie ihren Weg in das gehobene Management kleinerer und größerer mittelständischer Unternehmen, um anschließend in zehnjähriger Selbständigkeit ihre Ideen und Überzeugungen von Mitarbeiterführung weiterzugeben.

Der Blick auf das ethische Geländer in der Arbeitswelt begleitete sie während ihres gesamten Berufslebens und bestimmte ihren Einsatz für einen von gegenseitigem Verständnis geprägten, respektvollen und ehrlichen Umgang in der Unternehmenswelt – auch in wirtschaftlich schwierigen Situationen und Zeiten. Sie glaubt an den nachhaltigen Erfolg von Unternehmen, die ihre Mitarbeiter wie Menschen behandeln und nicht wie jederzeit austauschbare Verrichter von Arbeit.

Schon in ihrem ersten Buch »Perspektivwechsel« regt die Autorin ihre Leser zur Auseinandersetzung mit ethischen und religiösen Fragestellungen in unserer Gesellschaft an. Mit ihrem zweiten Buch »Hirntote und Vollpfosten« konzentriert sich Corinna Diederichs auf die Betrachtung gesellschaftlicher Phänomene der Zeit, wie Hass, Intoleranz, Respektlosigkeit und Gewalt. Sie forscht nach den Ursachen und widmet sich dabei ethischen Fragestellungen und psychologischen Aspekten menschlicher Emotionalität. Dabei öffnet sie dem Leser die Tür zur Diskussion und Reflexion, indem sie Liebe und Mitgefühl als Ausweg aus dem Dilemma ins Spiel bringt.